Este livro foi escrito para uma ger
protagonismo e preferiu viver por intermédio de terceiros, que trocou experiências reais pela realidade virtual e o isolamento do quarto de oração por horas a fio em canais cristãos no YouTube. Este livro incomoda quem segue confortavelmente seus gurus espirituais e fere o ego de quem usa a fé para a autopromoção. Como se estivéssemos diante de um espelho, nosso coração e nossas intenções são revelados. A exemplo de todo bom escritor, o pastor Tomás Camba apresenta maneiras de sincronizar o nosso coração ao de Deus, de voltar a amar a Palavra, de seguir a Cristo em meio a caminhos duvidosos e confusos e de rejeitar vozes que não são a do Bom Pastor.

Abraão Jorge Epalanga
Pastor batista em Huambo (Angola) e fundador do Projeto Relevante

Tomás Camba nos presenteia com este provocador, instigante e necessário texto, que nos leva a refletir sobre a terceirização da fé, fenômeno presente em praticamente toda a história da Igreja e muito comum ainda em nossos dias. Quando o princípio do sacerdócio de cada cristão é substituído pela mediação de terceiros, promove-se uma fé doentia e raquítica. Vale a pena investir tempo nesta reflexão.

Lourenço Stelio Rega
Teólogo, eticista e diretor da Faculdade Teológica Batista de São Paulo (SP)

Você já foi oprimido por uma liderança espiritual que se propunha intermediária entre você e Deus? Tomás é muito competente em nos fazer enxergar a libertação pessoal que há em Cristo e o caminho de intimidade que está aberto a todo cristão que ama o Senhor. Louvo a Deus pela obra que ele nos entrega e por toda liberdade em Jesus que ela oferecerá aos santos.

Yago Martins

Teólogo e pastor na Igreja Batista
Manaaim em Fortaleza (CE)

TERCEIRIZAÇÃO DA FÉ

Assuma a responsabilidade do seu relacionamento com Deus

—

TOMÁS CAMBA

Os textos das referências bíblicas foram extraídos da *Nova Versão Transformadora* (NVT), da Editora Mundo Cristão, salvo indicação específica. Usado com permissão da Tyndale House Publishers, Inc.

CIP-Brasil. Catalogação na publicação
Sindicato Nacional dos Editores de Livros, RJ

C186t

Camba, Tomás Fernando
Terceirização da fé : assuma a responsabilidade do seu relacionamento com Deus / Tomás Fernando Camba. - 1. ed. - São Paulo : Mundo Cristão, 2020.
96 p.

ISBN 978-85-433-0492-2

1. Deus (Cristianismo). 2. Discipulado (Cristianismo). 3. Vida espiritual - Cristianismo. 4. Crescimento espiritual. I. Título.

19-61021 CDD: 248.4
CDU: 27-584

Edição
Maurício Zágari
Revisão
Natália Custódio
Produção e diagramação
Felipe Marques
Colaboração
Ana Luiza Ferreira

Categoria: Inspiração
1ª edição: janeiro de 2020

Publicado no Brasil com todos os direitos reservados por:

Editora Mundo Cristão
Rua Antônio Carlos Tacconi, 69
São Paulo, SP, Brasil
CEP 04810-020
Telefone: (11) 2127-4147
www.mundocristao.com.br

Para meus amigos Alfa Victor Marta
e Hélder Camba Binza *(in memoriam)*

Sumário

Agradecimentos

Existem algumas pessoas sem as quais este livro não poderia ter sido concluído.

Minha enorme gratidão à minha esposa e fiel leitora, Thayna Karen, pelas leituras e críticas iniciais. Seu apoio foi e sempre será fundamental para meu crescimento.

Aos meus amigos David Bango, João Lucas Cabral e Jonathas Lira, que leram o manuscrito e ofereceram preciosas contribuições.

Ao meu amigo e editor, Maurício Zágari (mestre Jedi!), pelas primorosas sugestões e por todo apoio, e a toda a equipe da Editora Mundo Cristão.

Prefácio

A comunidade evangélica deixou de ser uma minoria ativa no Brasil há muito tempo, e seu crescimento numérico tem provocado interesse e preocupação. Essa maior visibilidade despertou muitas questões, internas e externas, que buscam qualificar tal crescimento em aspectos como a direção a que ele aponta, o projeto missional que revela e o tipo de aporte cultural que produz. E novas perguntas continuam surgindo.

No processo de refletir acerca dessas questões, comecei a deparar com opiniões diversas, de pensadores e acadêmicos não evangélicos, sobre o impacto desse crescimento e os possíveis destinos da comunidade evangélica. Essas observações extramuros deveriam nos levar a uma disciplina espiritual constante de autocrítica, visto que tendemos a uma forma de avaliação autorreferente, muitas vezes inebriada com a sedução dos números e das multidões. Precisamos nos perguntar que relação há entre nosso entendimento da fé cristã e nossa fome de vivê-la — afinal, embora confessemos uma fé ortodoxa, podemos viver de forma completamente distinta de nossa confissão. Como isso é possível? Será que nosso testemunho revela um abismo entre o entendimento e a vivência da fé?

Essa realidade me lembra duas ações de Jesus descritas em Marcos. A primeira delas diz respeito à ocasião em que Jesus amaldiçoou a figueira:

> Na manhã seguinte, quando saíam de Betânia, Jesus teve fome. Viu que, a certa distância, havia uma figueira cheia de folhas e foi ver se encontraria figos. No entanto, só havia folhas, pois ainda não era tempo de dar frutos. Então Jesus disse à árvore: "Nunca mais comam de seu fruto!". E os discípulos ouviram o que ele disse.
>
> Marcos 11.12-14

A segunda ação vem logo na sequência e descreve Jesus opondo-se aos mercadores da fé no templo:

> Quando voltaram a Jerusalém, Jesus entrou no templo e começou a expulsar os que compravam e vendiam animais para os sacrifícios. Derrubou as mesas dos cambistas e as cadeiras dos que vendiam pombas, impediu todos de usarem o templo como mercado e os ensinava, dizendo: "As Escrituras declaram: 'Meu templo será chamado casa de oração para todas as nações', mas vocês o transformaram num esconderijo de ladrões".
>
> Marcos 11.15-17

O paralelo que gostaria de sugerir é a discrepância que há entre o que se vê de longe e o que se observa de perto. De longe, a figueira dava a impressão de ter frutos; de perto, a realidade era outra. Visto de longe, o templo demonstrava uma atividade litúrgica que, de perto, revelava uma transformação crítica de finalidade: o que deveria ser uma casa de oração se tornara um covil de ladrões.

Meu coração alegrou-se ao ver que meu querido amigo Tomás Camba, brilhante representante da nova geração de pastores evangélicos no Brasil, dispôs-se a encarar o desafio de lidar com o tema da relação entre a fé professada e a fé vivida pelo povo evangélico brasileiro — a possível discrepância entre o que se vê de longe e o que se encontra de perto. Nesta obra, Tomás nos sugere onde devemos focar a atenção e onde encontrar as possíveis causas da discrepância entre proclamação e vida, além de apontar soluções para os problemas identificados.

Precisamos de um crescimento evangélico que não descuide da fidelidade, que não comprometa a qualidade do testemunho e que não negligencie — seja pelo pragmatismo, seja pelo oportunismo — o mandato que temos, como Igreja de Jesus Cristo, de fazer discípulos de todas as nações.

Desejo a todos uma boa, desafiadora e abençoada leitura!

ZIEL MACHADO
Vice-reitor do Seminário Servo de Cristo e
pastor da Igreja Metodista Livre Nikkei,
em São Paulo (SP)

Introdução

Uma notícia maravilhosa a nosso respeito vem sendo colocada de lado: em Cristo somos convidados a adorar o Deus Eterno, entrando em sua presença com alegria e leveza de coração. Como diz o apóstolo Paulo em sua carta à igreja em Roma: "Agora, portanto, já não há nenhuma condenação para os que estão em Cristo Jesus" (Rm 8.1).

Aleluia!

Essa notícia é o verdadeiro passaporte para uma vida de comunhão profunda com o Eterno. Todas as barreiras em relação a ele foram removidas pela morte expiatória de Cristo e, portanto, nada nos impede de estar na presença de Deus e desfrutar comunhão com ele. Entretanto, o que temos visto é a desvalorização dessa verdade por parte de alguns e, de certo modo, o desconhecimento dela por parte de outros.

Este livro nasceu da preocupação com o contínuo crescimento dessas duas premissas. A primeira, a desvalorização, se deve à efervescência do conceito de terceirização, que nada mais é que delegar responsabilidades. Os cristãos já não parecem preocupados em manter seu relacionamento com o Eterno, em viver as Escrituras e ser moldados por ela, em entrar no lugar santíssimo para alegrar-se no Eterno e no sacrifício que Cristo alcançou na cruz. Em vez disso, o que notamos é que cada vez mais os cristãos optam por delegar seu relacionamento com Deus para terceiros, a quem chamo de gurus da fé.

Como consequência desse equívoco, alguns grupos de cristãos não têm um relacionamento pessoal com Cristo, o que nos leva à segunda premissa: o desconhecimento dessa verdade. O resultado é que tais grupos vivem uma espiritualidade de temor que os impede não só de alcançar a alegria que a graça lhes concede, mas também de desfrutá-la.

Minha esperança é que a leitura deste livro contribua para o desenvolvimento de uma vida de intimidade, dependência e unidade com Cristo. Sem intermediários.

Quando Moisés desceu do monte Sinai carregando as duas tábuas da aliança, não percebeu que seu rosto brilhava, pois ele havia falado com o SENHOR. Quando Arão e os israelitas viram o brilho do rosto de Moisés, tiveram medo de se aproximar dele.

Moisés, porém, chamou Arão e os líderes da comunidade, que se aproximaram, e Moisés falou com eles. Em seguida, todo o povo se aproximou, e Moisés lhes transmitiu todas as instruções que o SENHOR lhe tinha dado no monte Sinai. Quando Moisés terminou de falar com eles, cobriu o rosto com um véu. No entanto, sempre que entrava na tenda da reunião para falar com o SENHOR, tirava o véu até sair. Depois, transmitia ao povo as instruções que o SENHOR lhe dava, e os israelitas viam o brilho de seu rosto. Então Moisés cobria novamente o rosto com o véu até voltar para falar com o SENHOR.

ÊXODO 34.29-35

....

Então Jesus clamou em alta voz novamente e entregou seu espírito. Naquele momento, a cortina do santuário do templo se rasgou em duas partes, de cima até embaixo.

MATEUS 27.50-51

1

Deus me livre!

Ouvir Deus é uma experiência possível para todos que foram regenerados e nasceram de novo. A cortina rasgada do templo representa a consumação, o encerramento da antiga aliança, que foi substituída pela nova aliança mediante o sangue de Jesus derramado na cruz. Apesar disso, a cortina por vezes parece insistir em permanecer, separando alguns cristãos do Criador, como nos tempos de Moisés.

Na época do êxodo, a concepção de Israel a respeito de Deus era diferente da apresentada por Cristo no Novo Testamento. Para eles, Javé, o Eterno, com toda sua santidade e glória, não podia ser visitado, nem seu nome deveria ser pronunciado de maneira vã, e quem assim procedesse se tornaria réu do castigo divino. Entrar na presença do Eterno representava, portanto, um grande perigo no contexto do mundo antigo. Todo cuidado era necessário.

De acordo com Êxodo 19—20, dois meses depois da libertação de Israel da escravidão do Egito, Deus convoca Moisés, no deserto do Sinai, para que dissesse ao povo que, se eles obedecessem ao Senhor e cumprissem sua aliança, seriam seu tesouro especial dentre os povos da terra, reino de sacerdotes e nação santa. O povo, então, devia preparar-se para o encontro com o Eterno. No entanto, chegado esse momento, todos ficaram atônitos com a visão do monte, que fumegava. Posso imaginar o medo que sentiram ao ouvir aquela voz de trovão. O temor era tal que pediram a Moisés: "Fale você conosco e ouviremos; mas não deixe que Deus nos fale diretamente, pois morreríamos!" (Êx 20.19).

Que povo tolo! Por que rejeitariam conversar com Deus? Essa foi a melhor oportunidade de conhecerem a Deus, de conversarem com ele diretamente e talvez de questionarem algumas situações difíceis enfrentadas no deserto. Mas a resposta deles foi simplesmente "não queremos falar diretamente com Deus", delegando a Moisés a responsabilidade de conversar com o Todo-poderoso.

Uma resposta possível a esse cenário estranho talvez fosse o fato de que eles já conheciam a Deus, devido à longa jornada do Egito até aquele ponto, no deserto. O convívio frequente talvez significasse não existir novidade em ouvir da parte de Deus. Mas pensar assim seria negligenciar completamente as pistas que o texto bíblico nos apresenta, pois está claro que eles tiveram medo de perder a vida, o que evidencia um aspecto muito importante: conhecer é diferente de relacionar-se. O povo de Israel aparentemente conhecia o Eterno pelos cuidados que ele lhe dispensava, mas não ousava manter com ele um relacionamento, muito menos profundo e íntimo.

Deus, no entanto, não deseja que nossa experiência com ele se restrinja apenas à grandeza de seu nome ou a um relacionamento superficial. Precisamos dar um mergulho mais fundo nesse oceano inesgotável. Afinal, se nem mesmo a eternidade será suficiente para conhecer a dimensão de seu amor, que dizer daqueles míseros dias que o povo passou com Deus pelo deserto?

Nossa condição atual se assemelha muito ao cenário de Israel descrito em Êxodo. Aderimos a um cristianismo de esconde-esconde. A loucura de nossa sabedoria nos conduz a caminhos incertos e apenas aparentemente seguros. Esconder-se de Deus é loucura, e o mais preocupante é que não raro isso ocorre sob a tenda da religiosidade. Loucura e cegueira maior é tentarmos nos livrar de ouvir o Eterno e de lhe obedecer, delegando essa responsabilidade a outros, na vã tentativa de escapar do juízo divino. Como consequência, acabamos vivendo uma espiritualidade baseada na experiência de terceiros, e assim negligenciamos experiências próprias e profundas com Deus.

Embora essa concepção de um Deus distante, que habita em lugares altos e inacessíveis, seja oriunda do judaísmo, ela ainda domina a mente dos cristãos que vivem à sombra da espiritualidade de terceiros. A terceirização da fé nos faz olhar para Deus de maneira equivocada, como se achegar-se a ele fosse privilégio dos "Moisés" do momento. Sob essa ótica, Deus não faz parte da realidade concreta, está além dela. Está tão longe que não se faz presente no dia a dia.

O resultado é um cristianismo infrutífero, estagnado, amargo, incapaz de perceber a beleza que reside no Deus que, ao se esconder, também se revela; no Deus que é todo-poderoso mas igualmente puro amor; que exibe fúria como a de um vulcão em erupção e, ao mesmo tempo, a ternura de envolver-nos em seus braços com afagos inigualáveis.

O temor do povo em relação ao Criador se deve ao desconhecimento e à inexistência de um relacionamento pessoal. Nos primeiros capítulos de Gênesis, antes de o pecado atingir o ser humano, vemos Deus conversar com Adão e Eva no jardim, em um relacionamento íntimo e pessoal a ponto de ambos permanecerem nus diante de Deus, sem exibir medo ou vergonha. A nudez representa a profundidade do relacionamento com o Criador, a ausência de empecilhos. Mas com a desobediência da humanidade vieram a inimizade com Deus e a impessoalidade relacional.

É interessante notar que todo ato de desobediência nos desnuda da verdadeira natureza. Quando desobedecemos, a relação com Deus e com o próximo é esvaziada. Adão e Eva simplesmente perderam a intimidade com seu Criador, cujo nome foi sendo esquecido e deixado de ser pronunciado. O Eterno passa a ser conhecido apenas por seus adjetivos: "Deus Todo-poderoso", "Deus dos antepassados", "Deus de Abraão, Isaque e Jacó". Apenas em Êxodo, ao revelar-se a Moisés, o Eterno manifesta seu nome, demonstrando seu interesse em um relacionamento pessoal e autêntico.

Israel acostumara-se à relação de impessoalidade com um Deus cuja identidade era obscura, que havia permitido a permanência deles no Egito. O Deus de seus pais, e não o Deus *deles*. Viam-no como um ser impessoal, furioso, desgostoso com a humanidade, um Deus em cujo calo não se poderia pisar, pois estava disposto a revidar. Posso imaginar o povo sussurrando: "Quer viver? Então fique quieto. Fique longe de Deus. Deixe isso com Moisés".

Posso garantir que essa percepção de Deus nos faz orbitar em torno do véu de Moisés. Acredite, não existe nada mais danoso a nossa fé do que viver uma espiritualidade mediada pelo véu. Isso impede o real conhecimento de Deus, o fluir da verdadeira adoração, tornando-nos reféns e dependentes de terceiros, daqueles que sobem ao monte e descem com o "rosto resplandecente".

No relacionamento com o Eterno, responsabilidade e obediência são fundamentais. Era isso que Deus queria transmitir a Israel por meio de Moisés. Mas temos dificuldade em obedecer. Nosso maior anseio sempre foi tomar o lugar de Deus. Nossos pais não compreenderam que existe uma beleza inigualável na obediência ao Criador, por isso foram expulsos do Éden. Quer viver na dependência de Deus? Obedeça. Quer um relacionamento sério com o Eterno? Saiba que isso exige de você responsabilidade. A crise relacional que assombra nossa sociedade é fruto dessa irresponsabilidade.

Nas entrevistas para admissão de novos membros em nossa comunidade, recebemos muitas pessoas machucadas cujas feridas e decepções provêm de uma espiritualidade vivida em torno do véu de Moisés e na dependência de terceiros. Ficam admirados com nosso incentivo para viverem a Palavra e com o valor que atribuímos a sua pregação. Um casal contou, emocionado, como haviam perdido tempo e deixado de construir um relacionamento com Deus. Embora fossem cristãos de longa data, confessaram que nunca tinham ouvido um sermão fundamentado diretamente nas Escrituras. Decepções como a desse casal derivam do total desconhecimento sobre quem Deus é e de uma vida limitada por experiências alheias.

Que tipo de espiritualidade você vive? Em torno do véu de Moisés? Na dependência de terceiros? Ou você mantém um relacionamento de amor com o Eterno e de dependência dele?

2

Entre o véu e a cortina do templo

O rasgar-se da cortina do templo permite que deixemos a dependência do véu de Moisés para contemplar diretamente a glória do Cristo ressurreto. Permite que nos aproximemos "com toda confiança do trono da graça, onde receberemos misericórdia e encontraremos graça para nos ajudar quando for preciso" (Hb 4.16).

Quando eu era criança, brincava com meus amigos de caça ao tesouro. Fazíamos um instrumento com ímã amarrando-o a um taco semelhante ao de jogar hóquei e então íamos à feira. À medida que arrastávamos o taco no chão, o ímã atraía as moedas perdidas. Era incrível a quantidade de moedas que pegávamos!

O véu é como esse ímã. Seu campo de força nos aprisiona distantes de Deus, restando-nos apenas as migalhas de uma espiritualidade vazia. O véu não só nos impede de alcançar o caminho novo e vivo que nos conduz à presença do Pai, como também nos impede de desfrutar seu imenso amor. O véu não nos permite enxergar o verdadeiro Deus;

em vez disso, mostra-nos um Deus que não tem interesse em nos proporcionar sua graça salvadora e redentora. Não nos permite perceber o significado da cortina do templo rasgada em duas partes, nem ver o convite que nos estende o Cristo humilhado na cruz para que tenhamos acesso irrestrito a sua presença.

O véu invalida o sangue derramado e sua proposta de purificar o coração miserável tragado pelo pecado. Não considera a mesa posta nem nos permite entender que deixamos de ser forasteiros e que, em vez disso, somos convidados a estar na presença daquele que com sua santidade fulmina o pecador. Não percebemos que inexiste condenação para os que decidiram viver além do véu, que decidiram lançar fora o medo e ir ao encontro desse Deus assombroso, em cuja presença podemos sentir o amor que dele emana.

Assim, a partir do momento em que decidimos viver na perspectiva da cruz, o véu é dissipado dando lugar à cortina do templo rasgada pelo brado de Jesus. Quando finalmente toda opacidade e cegueira geradas pelo véu são removidas e nossos olhos, abertos, a primeira imagem que distinguimos é a do Cristo crucificado, que nos recebe de braços estendidos. Nossa fé é, então, completamente ressignificada, pois Jesus veio para cumprir a sentença da punição que nos cabia e para fazer cessar todo medo. Ele se despiu de sua divindade, glória e esplendor unicamente para promover o resgate da humanidade.

Nesse sentido, não é ilógico afirmar que a cortina rasgada do templo nos lança a uma celebração paradoxal:

Deus, em Cristo, tomou o cálice amargo que merecíamos para que pudéssemos ouvi-lo, vê-lo e tocá-lo. Em última análise, é um convite à celebração da visão gloriosa do Cristo-Deus-Homem.

Quando nos aproximamos do Eterno, somos capazes de estabelecer um relacionamento intenso e constante, um relacionamento que nos ajuda a conhecer quem ele verdadeiramente é. Não mais um Deus rancoroso nem distante, mas um Deus amoroso, justo, gracioso, um Deus que em vez de medo inspira profundo temor e reverência. Se, contudo, insistimos em nos afastar, a distância acaba produzindo em nós o desejo de rebelião e induzindo-nos a uma vida de delinquentes espirituais.

O abismo entre Deus e o homem, no entanto, não é um fenômeno iniciado com o povo hebreu, nem fruto dos tempos contemporâneos, mas, como dissemos, instaurou-se no Éden, com a desobediência do primeiro casal da humanidade. As Escrituras mostram que, antes da queda, Adão e Eva não tinham problemas em relacionar-se com Deus. Mas, quando resolvem proclamar independência do Criador, veio a grande mudança de cenário. O relacionamento caracterizado pelo amor é rompido, e a partir daí complica-se o acesso da humanidade a Deus. As pessoas resolvem terceirizar seu relacionamento com o Criador, e as consequências dessa decisão são sentidas.

Você já percebeu que, quando damos ouvidos a alguém em lugar de ouvir a Deus, tudo desanda? Embora cônjuges, pais, filhos, irmãos e amigos nos amem, nem sempre têm noção exata do que é o verdadeiro bem.

Mas Deus, e apenas ele, é capaz de *sempre* desejar-nos o verdadeiro bem.

A pressa em nos tornarmos independentes nos fez reféns, e acabamos mergulhados no caos do pecado. O declínio se manifestou em nosso coração arrogante quando escolhemos depender de terceiros, em vez do próprio Senhor. Simplesmente deixamos de ouvi-lo para seguir nossas leis e nossos propósitos, e tudo isso resulta em prisão. Estamos encarcerados pelo pecado, fruto da desobediência. Mas só nos damos conta disso quando somos chamados a entregar nas mãos do Criador certas áreas da vida. Só então percebemos quanto nosso eu clama por libertação. Somos tão cegos que, nessa ânsia de seguir nosso caminho distantes de Deus, longe da dependência dele, acabamos por cair na dependência de homens, de oráculos, de mensageiros para falar com o Criador.

Que retrocesso! E, no entanto, a isso chamamos de progresso e liberdade espiritual. É triste constatar que cada vez mais nos acostumamos com esse estado de cegueira herdado da queda, e que se acentua à medida que nos distanciamos de Deus.

Em síntese, a experiência do monte nos remete ao Éden. É uma amostra de como o pecado faz o homem clamar por vestimentas que o atrapalham e lhe dificultam o relacionamento com o Criador. Na experiência do Éden, o homem cobre a nudez com folhas, enquanto, no monte, cobre o rosto com a figura de Moisés. Seja qual for o caso, estamos sempre lançando mão de acessórios para fugir do Criador.

Em termos de demarcação de espaço, o monte representa perfeitamente o lugar da espiritualidade contemporânea. O monte supostamente indica a presença de Deus, mas não invade a vida pessoal e cotidiana, e por isso nos sentimos confortáveis. De certo modo, queremos que Deus esteja perto de nós, almejamos sentir sua presença mediante cerimônias e atos religiosos, mas não queremos que ele governe e legisle sobre quem somos. Se precisamos de uma direção vinda do Senhor, temos em última instância terceiros que falarão por nós. No íntimo sussurramos: "Não quero que Deus trate diretamente comigo, mas quero garantias de que ele estará por aqui, zelando por mim, de dia na coluna de nuvem e à noite na coluna de fogo". No fundo, o que desejamos de fato é domesticar Deus.

Ao que parece, estamos transformando Deus em amuleto da sorte, cuja finalidade é proteger-nos dos males e perigos da vida. A cegueira espiritual está ativada, dando início à viagem rumo a uma vida de trevas, longe do Criador, ainda que supostamente perto no sentido geográfico do espaço sagrado. Esse tipo de espiritualidade é um passaporte para o abismo espiritual. O único sinal de esperança e cura contra a cegueira que nos assola é a cortina rasgada do templo. Ela nos permite ver o Cristo ressurreto, e mais próximo de nós do que imaginamos.

Se insistimos em manter o véu intacto, a separação causada por ele reprime nosso desejo de ver o Eterno, esvaziando nossa vida por completo. A idolatria, então, se torna um escape para compensar a ausência de Deus. Os fracassos se manifestam, deixando marcas profundas, pois não há nada capaz de suprir em nós o amor de Deus e sua presença.

Outro aspecto importante que precisamos levar em conta é que a maior parte do fracasso em relação a nossa espiritualidade se deve ao fato de nos acomodarmos no pátio de nossas tendas, deixando de ir ao encontro do Eterno no local e na hora por ele determinados. Embora viver uma espiritualidade vazia signifique ausência do desejo profundo por Deus, isso não quer dizer que ele esteja indiferente. O Pai continua a acenar para nós. Seu aceno é um gesto de amor que nem o mundo nem outras muletas podem proporcionar. É um convite para correr em direção a Cristo, que nos recebe de braços abertos. A figura do Cristo redentor serve como lembrete para que, toda vez que olharmos seus braços abertos, nos lembremos de que não há distância que ele não possa alcançar, não há véu que ele não possa remover, nem cortina que não possa rasgar por amor ao perdido.

É preciso coragem para reconhecer que estamos constantemente falhando ao nos distanciar do Criador. Precisamos entender com clareza que falar com Deus não é exclusividade de alguns afortunados da fé. Trata-se de um convite para todos os peregrinos e forasteiros. É um convite para apreciar não só o trovejar do Deus todo-poderoso, do Deus temível, mas para adentrar a beleza da santa Trindade e ter comunhão com o Pai, o Filho e o Espírito. É desfrutar o amor do Criador de todo o universo.

O tratamento leviano que damos a nossa espiritualidade também denuncia outro perigo invisível, mas presente. Tendemos a acreditar que a terceirização da fé seja exclusividade dos novos convertidos, e que não se configura entre os cristãos mais experientes. Ledo engano. Lamento dizer que o tempo de igreja não determina quão perto se está de Deus, nem a visão correta do relacionamento com o Eterno. Na maioria das vezes, o perigo do véu está presente na vida daqueles que frequentam há anos uma comunidade religiosa. Muitos deles ainda não tiveram a oportunidade de experimentar o verdadeiro prazer de estar face a face com o Pai; em vez disso, vivem um cristianismo terceirizado, uma fé baseada em experiências alheias, sem experimentar um encontro pessoal com o Cristo ressurreto.

O brado de Cristo na cruz é o passaporte para um novo acesso ao Pai, acesso esse que se perdera no Éden, com a queda. Em Cristo somos novamente aceitos, o véu não mais nos define. Já não precisamos trocar as vestes, lavar-nos e purificar-nos para ir ao encontro de Deus, como Moisés recomendara ao povo. O sangue de Cristo nos lava e purifica. O próprio Deus veio até nós e, por meio de sua morte e ressurreição, deu-nos vestes novas, um novo propósito de vida e uma nova maneira de enxergá-lo. Agora ele não é apenas o Eterno, o Todo-poderoso, o Deus temível; ele é o próprio Amor, a própria Vida e o próprio Caminho para entrarmos em sua presença completamente renovados. Em Cristo somos convidados a apresentar-nos como estamos e como somos, para que nele sejamos transformados. Portanto, não é necessário preparação prévia, nem mediadores. O sangue do Cristo crucificado é o cartão-postal e o selo que nos dá acesso à presença do Pai eterno.

Assim, derrubemos tudo que nos afasta do Eterno, convictos de que nossa aceitação não depende do que fazemos ou não fazemos. É pura graça. Não precisamos reerguer os muros já derrubados por Cristo na cruz, pois isso desqualifica seu sofrimento e o propósito de seu sacrifício, além de nos privar do prazer de andar pelo novo e vivo caminho e de ouvir o sussurro do Pai. Se não compreendermos essa verdade, jogaremos sobre nós um fardo que resulta em angústias e frustrações. Viveremos longe da luz que transcende e ilumina o coração daqueles que o buscam.

O que precisamos é buscar Cristo cada vez mais, nutrir-nos com sua presença e paixão. Ele conhece o mais íntimo de nosso coração e ouve o mais recôndito pensamento e aspiração.

Aleluia!

3

Gurus e mensageiros da fé

Hoje em dia, existe uma grande necessidade de recorrer a especialistas para tudo, mesmo quando a questão parece simples e a resposta, óbvia. Não me entenda mal, não sou contrário às especializações, até porque reúno algumas. O que me intriga é que nos tornamos reféns dos outros na ânsia de sentir-nos seguros quanto às decisões que devemos tomar. Isso apenas evidencia o medo de estarmos errados, a insegurança de que somos tomados quando precisamos agir e posicionar-nos. Assim, independentemente do resultado, quando nos baseamos na opinião de especialistas o que estamos fazendo é transferir para terceiros a responsabilidade das consequências. Eximimo-nos de culpa pelo simples fato de que agimos instruídos por alguém, não por iniciativa própria, o que é mais confortável, em especial se o resultado for negativo. A culpa não terá sido nossa, mas do outro.

A era das especializações pode, por isso, ser traduzida também como a era das terceirizações, que não se restringem às questões de cunho pessoal e profissional, mas têm tomado conta também da igreja de Cristo. Pastores e outros líderes espirituais são vistos por muitos cristãos como especialistas, como os únicos que detêm a autoridade de falar com Deus, que têm acesso privilegiado a ele e cujas orações são por ele ouvidas. Os únicos que vivem em santidade, podendo até mesmo falar face a face com o Senhor, como Moisés.

Essa inversão distorce o conceito bíblico de graça e de sacerdócio universal de Cristo, e tem causado sérios danos no meio da cristandade. A aceitação da graça tem sido apenas teórica, enquanto na prática ocorre sua completa negação. O resultado são cristãos vazios e confusos, que não conhecem de fato a pessoa de Deus, e esse desconhecimento os conduz a uma vida de medo em relação ao Criador.

Quando distorcemos esses conceitos fundamentais, os papéis de liderança se confundem. Se graça e sacerdócio universal são mal compreendidos, o resultado são pessoas esforçando-se para alcançar a salvação ou buscando-a em lugares errados. Por isso, é imperativo que pastores e líderes reconheçam que seu papel não é o de guru nem de guia espiritual, mas de pessoas levantadas por Deus para ajudar outras a amadurecer na fé. Pastores e líderes devem rejeitar a ideia de tornar outros dependentes de suas pregações ou de seu modelo de espiritualidade. Quando os líderes sucumbem a isso, a igreja se esvazia e mergulha no pseudoevangelho, cuja voz audível deixa de ser a de Cristo e de seus ensinamentos revelados nas Escrituras.

Parece-me que o que está por trás disso é a falta de desejo de relacionar-se com o Eterno. Para alguns, é mais simples consultar seus gurus a todo tempo, como a um gênio da lâmpada. Essa atitude tem desvirtuado o cerne do cristianismo, que é a comunhão com Deus. A fé se torna um moralismo vazio, conectada a crenças infundadas, ditadas por líderes que, na maioria das vezes, carecem do brilho do Eterno.

O modelo de liderança da igreja precisa basear-se no exemplo de Cristo, e não no modelo da cultura em que estamos inseridos. Pastores devem pautar sua vida nos ensinos do Mestre, nutrir relacionamentos, fazer discípulos. Nossa geração precisa de pastores, não de gurus. A diferença entre pastores e gurus da fé é evidente: pastores amam suas ovelhas, enquanto gurus amam sua agenda. Pastores são relacionais por entenderem que o evangelho flui por meio de relacionamentos. Gurus interagem com seguidores. Pastores têm a Trindade como exemplo de relacionamento e, como discípulos do Bom Pastor, vivem o modelo de um evangelho relacional. Gurus expõem suas "fraquezas" com a finalidade de angariar seguidores, e não de formar discípulos. Pastores enfatizam a salvação pela graça e o sacrifício de Cristo, e não o véu, como elemento necessário para contemplar o Eterno. Gurus enfatizam manifestações subjetivas e suas conquistas espirituais para manter e fazer crescer seus seguidores e admiradores.

Muitos creem erroneamente que a presença do pastor elimina a necessidade de orar. Na visão dessas pessoas, orar é dever do pastor. Mais que isso, acreditam que é responsabilidade dele o relacionamento direto com Deus, uma vez que só o líder é especialista nesse tipo de "tarefa". Isso é um completo engano. É doloroso mas necessário afirmar que gurus são como "fontes secas ou a neblina levada pelo vento" (2Pe 2.17). Apesar das inúmeras promessas proferidas aos seguidores, interiormente são pessoas vazias e, portanto, sem nada a oferecer, levando multidões ao engano, à decepção e à dor.

Pastores e líderes espirituais comprometidos com o evangelho de Cristo ajudam suas ovelhas a produzir frutos, pois ambos estão firmados na Videira verdadeira, sem a qual isso seria impossível. Em contrapartida, gurus são como árvores ressequidas que, distantes da Videira, são incapazes de produzir frutos, preocupados que estão em se autopromover e em manter o véu intacto. São donos de um discurso grandiloquente, de uma aparente espiritualidade que causa deslumbramento aos mais incautos.

As palavras do reformador João Calvino ao descrever os falsos mestres mencionados no livro de Judas poderiam muito bem ser aplicadas a esses gurus:

> Ao mesmo tempo não traziam nada de espiritual, seu objetivo sendo, pelo contrário, tornar os homens tão estúpidos como animais irracionais [...]. Eles fazem apenas sons retumbantes, pois, desprezando a linguagem comum, formam para si um não sei que idioma exótico. Eles parecem a um momento levar

> seus discípulos acima do céu, então repentinamente caem em erros bestiais, pois concebem um estado de inocência no qual não há diferença entre a vileza e a honestidade.[1]

Também não poderiam ser mais urgentes as palavras de John Piper: "A mentalidade de profissionais da fé a que temos nos submetido é trivialmente inversa ao nosso verdadeiro chamado como pastores".[2] A mentalidade de profissionais nos transforma em gurus da fé. Quanto mais profissionais nos tornamos, mais nossa espiritualidade é relegada à morte. Em outras palavras, gurus espirituais/profissionais não anseiam pelo encontro diário com Deus, nem se preocupam com comunhão e amizade profunda com o Pai.

Esse assunto me lembra uma conversa que tive com um amigo sobre a vida devocional do líder eclesiástico. Duas perguntas surgiram assim que vi sua agenda, completamente lotada para o ano: "Como você prepara seus sermões?" e "De quanto tempo você dispõe para orar?".

Pode parecer que estou preocupado apenas com os irmãos que vivem em trânsito, sem se fixarem em uma determinada comunidade, ou com os jovens pregadores que rodam o mundo para dar conta de loucas agendas profissionais. Não se engane. O mesmo perigo ronda a vida daqueles que escolheram a vida pastoral comunitária. É um perigo de enfraquecimento espiritual que não tem como única causa as loucas agendas.

Como bem notou Eugene Peterson, há em curso hoje "uma grande conspiração para eliminar a oração, a Bíblia e a orientação espiritual" da vida dos pastores.[3] Existe uma grande preocupação com a imagem e a posição, com o que pode ser mensurado, com o sucesso de programas de construção de igrejas, com o controle de frequência para causar boa impressão, com o impacto sociológico e a viabilidade financeira. Os conspiradores fazem o máximo possível para preencher a agenda desses líderes, de modo que não haja tempo para a solitude, para o descanso na presença de Deus, para a meditação nas Escrituras, nem para o emprego de tempo de qualidade com as pessoas.

Trata-se, sim, de uma conspiração, contra jovens pastores, que acabam se tornando gurus da espiritualidade da imagem, carregando uma legião de seguidores que repetem seus jargões, maneirismos, vestimentas etc., e também contra pastores mais experimentados, que caem no engano da agenda eclesiástica.

Recursos como técnicas de controle emocional e oratória abrem espaço para que os gurus, na busca de relevância e de satisfação do ego, burlem a verdadeira vocação pastoral. Com isso, algumas pessoas têm deixado de seguir Jesus para segui-los, têm deixado de ser imitadores de Cristo como Paulo ensina ("Sejam meus imitadores, como eu sou imitador de Cristo" [1Co 11.1]) para ser imitadores de seus gurus. Enquanto Paulo estava ligado à Videira, que é Cristo, muitos desses líderes estão ligados à vaidade e ao orgulho.

Como pastores chamados pelo Sumo Pastor, nosso alvo não é terreno, mas eterno. Somos chamados a viver a verdadeira loucura do evangelho, cuja pregação tem Cristo como o centro de tudo e todos. Uma loucura que se revela no coração que ferve pelos perdidos, na pregação que denuncia a podridão de nossa alma e que nos leva a contemplar a graça, o único meio de obter a salvação em Cristo.

Assim escreveu Piper:

> Somos loucos por causa de Cristo, mas os profissionais são sensatos; somos fracos, os profissionais, porém, são fortes. Eles são sempre honrados; mas ninguém nos respeita. Não tentamos garantir um estilo de vida profissional; antes, passamos fome, sede, nudez e falta de morada.[4]

Em outras palavras, fomos chamados para um trabalho árduo e pouco atraente para as massas. Apesar disso, servimos com alegria e prazer, pois a beleza pastoral reside em estar ancorados em Cristo e cumprir seu chamado, com temor e tremor.

4

Conectados com a Palavra

Falar sobre a Palavra para o cristão deveria ser como falar sobre as operações matemáticas básicas para um professor de matemática ou como falar sobre as cores primárias e secundárias para um pintor. No entanto, não é o que ocorre com a maioria dos cristãos.

Nossos tempos são sombrios por falta de conhecimento básico daquilo que é fundamental para a fé. Aliás, isso é tão preocupante que, por falta de conhecimento da Palavra, estamos atribuindo o papel de oferecer redenção e acesso ao Pai a pastores e líderes eclesiásticos, tornando--nos assim pessoas completamente supersticiosas. As Escrituras nos ensinam sobre Deus e seu caráter e sobre nosso papel aqui na terra. Quando penso nisso, a imagem que me vem à mente é a de um jardim em meio ao deserto onde existem flores que a cada manhã despertam para trazer alegria ao seu redor. Gosto de pensar que em cada coração existe uma flor que só despertará quando irrigada pela Palavra que traz crescimento e beleza, como

Aquele que a todas as coisas fez belas. Não é a Palavra o padrão mais elevado de beleza? Não é a Palavra que define que tudo o que foi criado é belo? É esta a lição do primeiro capítulo de Gênesis: Deus profere sua Palavra, e tudo se faz. A Palavra agiu onde nada existia e, a partir de então, tudo começou a existir num padrão de beleza jamais visto. Somos essa flor que, irrigada pela Palavra, é chamada a levar a mensagem de paz e de esperança ao mundo e a todos ao redor.

Há duas dimensões da Palavra. A primeira é a Palavra divina, que se fez carne e habitou entre nós. Ao vê-la, vemos o Pai. Por meio dela temos acesso ao Pai e, por sua beleza, somos purificados e transformados à imagem do Pai. Cristo, com seu resplendor, nos assemelha ao Pai, limpando toda sorte de imperfeição que herdamos do pecado que habita em nós.

A segunda dimensão é a Palavra revelada pelo Eterno por meio de seus servos, ou seja, a Bíblia, as Escrituras Sagradas. Ela deve tornar-se nosso manual, nosso guia para viver corretamente neste mundo decadente. É o que Paulo recomenda a Timóteo:

> Toda a Escritura é inspirada por Deus e útil para nos ensinar o que é verdadeiro e para nos fazer perceber o que não está em ordem em nossa vida. Ela nos corrige quando erramos e nos ensina a fazer o que é certo.
>
> 2Timóteo 3.16

Com efeito, quando nos atentamos à Palavra, ela nos guia à presença do Cristo ressurreto, ensinando-nos mediante o Espírito a vontade de Deus para nós. Ela nos ajuda a combater a podridão que há no interior de cada um de nós, revelando que não existe bondade no coração humano senão a que vem do Eterno.

A Palavra nos blinda contra toda sorte de equívocos em relação a nosso mérito próprio, que nos seduz a chamar a atenção de Deus e a buscar a salvação por nossos esforços ou por bênçãos adquiridas de terceiros. A Palavra é o principal antídoto contra uma espiritualidade terceirizada. Estamos doentes, e só ela pode trazer cura e alívio para esse estado caótico em que nos encontramos.

É preocupante a importância que damos a superstições e como elas têm tomado o lugar da Palavra em nosso coração. Não raro, por exemplo, as pessoas preocupam-se em dar o dízimo por medo de serem amaldiçoadas e de sofrerem revezes financeiros severos. É igualmente preocupante a visão do edifício da igreja cheio apenas em domingos de Ceia, pois isso mostra que as pessoas estão mais interessadas no ato momentâneo de cear do que nas implicações da Ceia para a vida do cristão.

A questão é que não refletimos devidamente sobre a importância da Palavra. Para alguns ela se tornou apenas uma caixinha de superstições para dias difíceis ou um meio de adquirir bênçãos. É a idolatria da bênção e da resposta imediata para a aflição e a angústia do momento.

Se estivéssemos conectados com a Palavra, lembraríamos que ela é o espelho da alma, pois não há emoção que não seja refletida nela. Por meio dela, o coração purificado da hipocrisia é trazido para a luz do dia. A

Palavra é o verdadeiro presente que temos para oferecer ao mundo em todas as questões relacionadas à existência humana. Ela nos lembra de que nossa fé não se baseia em uma convicção que oferece satisfação imediata das necessidades, mas em uma convicção que triunfa até mesmo na derrota.

Essa é a beleza das Escrituras. Elas são o passaporte para uma vida de entusiasmo e beleza. Revelam o processo de amadurecimento daqueles que viveram antes de nós. A interação que tiveram com Deus tornou extraordinárias as coisas mais comuns da vida deles.

Sou africano, nascido em Angola, e cresci ouvindo histórias de pessoas que eram convidadas a viver o extraordinário ao conectar-se à Palavra. Lembro-me de, ainda criança, ir à igreja perto da fazenda. O pregador, embora eloquente, não sabia ler. No entanto, quando estava no púlpito, ele pegava sua Bíblia e, lendo-a, pregava o sermão. Era o único livro que ele sabia ler. Apesar de minha pouca idade, percebi a ousadia e a unção presentes em suas palavras. Arrisco-me a afirmar que muitos pregadores de hoje, letrados e formados em bons seminários, não carregam a paixão e a unção daquele homem pobre e iletrado. A Palavra faz isso conosco. Ela nos abre os olhos para uma realidade que está acima de nós. Ela nos ajuda a viver com o pensamento voltado para as coisas do alto, transformando-nos a mente e leva-nos a contemplar o Cordeiro em seu trono, sendo adorado e glorificado. Que alegria!

A Palavra nos permite viver coisas extraordinárias e incomuns. A Palavra divina invade nosso ser e preenche o vazio. Ela cria um estado de beleza, altera nossa visão do mundo e nos oferece matizes para colorir a vida, mesmo quando esta insiste em ser cinza. Ajuda-nos a lembrar que somos peregrinos e estrangeiros neste mundo de vaidades e orgulho. Abre-nos os olhos para que visualizemos, mesmo que como um reflexo no espelho, as promessas que nos foram dadas. Nas palavras de Paulo: "Olho nenhum viu, ouvido nenhum ouviu e mente nenhuma imaginou o que Deus preparou para aqueles que o amam" (1Co 2.9).

Existem motivos para não amar a Palavra? Existem motivos para não mergulhar nela? Aqueles que têm a Palavra têm a vida. Ela vai além do que entendemos e pensamos saber sobre a existência humana e sobre tudo que nos rodeia. Às vezes, só precisamos estar em silêncio para ouvir Deus falar por meio dela. A Palavra é a própria espiritualidade do verdadeiro discípulo. Quando nos conectamos a ela, tomamos consciência de nossas limitações e somos conduzidos a uma fé genuína.

Cristo, a Palavra divina, está vivo e presente em nosso meio. Por isso afirmamos que as Escrituras são muito mais que um simples manual de instruções; são a verdadeira fonte para aqueles que desejam saber mais de Deus e desenvolver a fé com base no relacionamento íntimo com ele, sem intermediários.

É hora de abandonar o comodismo e abrir a Palavra da vida. Só ela nos blinda contra a dependência de terceiros para nos relacionarmos com Deus. Só ela nos permite viver a verdadeira espiritualidade e contemplar Aquele que vive eternamente.

5

O labirinto

Imagine-se lançado de repente no meio de um labirinto. Qual seria seu primeiro pensamento? Acredito que achar um caminho que conduzisse à saída. Talvez você fosse tomado pelo medo, principalmente no cair da noite. No escuro e desnorteado, a sensação de impotência se tornaria cada vez mais presente, fazendo crescer a angústia.

Você já se sentiu perdido por encontrar-se em um lugar totalmente desconhecido e precisou que alguém lhe indicasse o caminho? Eu já. Lembro-me de que um mês depois da minha chegada a São Paulo, vindo de Angola, fui ao supermercado e, na volta, depois de caminhar por algumas ruas, percebi que não se tratava do mesmo trajeto que eu fizera na ida. Precisei pedir ajuda para encontrar o caminho de volta.

O mundo é como um labirinto. Sozinhos, somos incapazes de enxergar uma saída ou de obter esperança para os males que nos acometem. Às vezes, desistimos da vida por não sermos capazes de encontrar o caminho de volta para Deus. Alguns até tentam, mas acabam perdendo-se ainda mais no interior do labirinto. A questão é que, sem Cristo, não conseguiremos achar o caminho de volta para casa. O pecado nos torna incapazes de ouvir Deus e reconhecer o caminho que nos leva a ele. Só por meio de Cristo podemos voltar para os braços do Pai. Foi pela morte e ressurreição de Jesus que o véu que nos separava do Pai foi rasgado, o véu que nos impedia de ver o caminho de volta.

É Cristo que nos traz esperança. Ele é "o caminho, a verdade e a vida", e ninguém pode ir ao Pai senão por ele (Jo 14.6). Nele nunca nos perderemos, nele estaremos sempre protegidos. Por isso não precisamos temer os males deste mundo, mesmo quando parecem conduzir-nos a um beco sem saída. Se estamos em Cristo, o caminho já está traçado. Como diz o célebre salmo 23, o Senhor é nosso pastor, e ele nos guia pelo escuro vale da morte, protegendo-nos; por isso, não precisamos temer mal algum.

Não há sentimentos em nós que sejam estranhos para Cristo. Ele sabe de tudo, e não apenas por ser Deus, mas porque viveu como homem, neste labirinto. Experimentou sensações e emoções como nós. Esse é o paradoxo do Deus que adoramos. Verdadeiro homem e verdadeiro Deus. Isso soa como um refrigério para toda alma perdida neste mundo de aflições.

Cristo, no entanto, não está presente apenas para mostrar-nos o caminho, mas para que tenhamos com ele um relacionamento de afeto e intimidade. Precisamos de alguém que conheça nossas aflições e nossos defeitos, e que ainda assim esteja disposto a nos amar. Ele não tira proveito do fato de estarmos perdidos, nem se alegra com nossa derrota; em vez disso, caminha conosco, mostra-nos a direção e não nos deixa por conta própria. Ele nos conduz à presença do Eterno. Só quando olhamos para Jesus somos capazes de compreender com clareza nossa condição de perdidos, de perceber que é possível sair do labirinto de dor e angústia que nos aprisiona. Infelizmente, muitas das pessoas que se sentem perdidas e aprisionadas pela dor estão em nossa comunidade de fé, pois não conhecem a verdadeira pessoa de Cristo e, por isso, não têm a vida fundamentada nele.

No imaginário de muitos cristãos reside a ideia de um Cristo completamente ausente de nossa realidade, o que os torna suscetíveis a falsos ensinamentos sobre o sacrifício de Jesus. Ao terceirizarem seu relacionamento com Deus, deixam-se conduzir, permanecendo às cegas no labirinto, aprisionados, sem se darem conta de que só um encontro profundo com aquele que conhece nosso ser pode libertá-los de fato. Só Jesus pode ajudar-nos a conhecer a nós mesmos. Sem ele, tudo o que sabemos a nosso respeito não passa de fragmentos do pecado, de nossa natureza caída.

Mas é em meio a esse labirinto, perdidos e privados de ver a luz, que somos chamados para tornar-nos discípulos do Mestre, para segui-lo e, assim, libertar-nos do pecado. Quando nos tornamos discípulos de Jesus, nossos olhos são abertos e, sem a interferência do véu, somos capazes de não só ver o caminho mas também de ajudar outros a encontrá-lo.

À medida que seguimos o Mestre, tornamo-nos mais parecidos com ele. É importante ressaltar que assemelhar-se a Cristo é identificar-se tanto com seu sofrimento como com sua glória, e não apenas com sua glória, como infelizmente insistem alguns. Enquanto estivermos neste labirinto, é necessário aprender com o sofrimento do Mestre. Ele deu a própria vida por amor a nós, para que fôssemos resgatados. Em seu sofrimento, em sua aparente fraqueza, descobrimos seu poder e sua fortaleza, e ao mesmo tempo nos tornamos participantes de sua glória. Quando nos tornamos coparticipantes do sofrimento e da glória de Cristo, somos capazes de combater a arrogância, a presunção e o egoísmo.

Ao seguir a Cristo, temos tudo e não temos nada, perdemos a vida e a encontramos. Embora sejamos fracos, vivemos com ele, pelo poder de Deus, para servir. Na fraqueza somos fortes, e com isso estamos na contramão da definição de sucesso segundo o entendimento do mundo.

O monge alemão Tomás de Kempis resumiu assim o significado de seguir a Cristo:

> Muitos amam o reino celestial de Jesus, mas os que carregam sua cruz são poucos.
>
> Muitos desejam seu conforto, mas poucos sua tribulação.
>
> Muitos companheiros ele encontra à mesa, mas poucos na abstinência.

> Todos desejam se alegrar com ele, mas poucos estão dispostos a suportar qualquer coisa por ele ou com ele.
>
> Muitos acompanham Jesus no partir do pão, mas poucos tomam com ele o cálice da Paixão.
>
> Muitos reverenciam seus milagres, mas poucos o seguem na vergonha da cruz.[1]

Essas palavras podem definir o que é espiritualidade terceirizada ou vivida por trás do véu: o foco está em viver das regalias da fé, sem abandonar a zona de conforto. Mas seguir Jesus é enfrentar um novo desafio a cada dia; é saber que, mesmo em circunstâncias assustadoras, não estamos sozinhos; é chorar diante de Deus e, ao mesmo tempo, alegrar-nos porque, graças ao sacrifício de Cristo, podemos chorar em sua presença.

Viver em Cristo é ser achado no labirinto e trilhar o caminho verdadeiro que conduz ao lar. Viver em Cristo é ter a missão de ajudar outros a encontrar esse caminho. Essa é a essência daqueles que estão no caminho e, ao mesmo tempo, a caminho de casa. É o que o amor de Cristo provoca em nós: um santo constrangimento e um estranho amor pelo perdido.

6

O canto da sereia

Na *Odisseia,* Homero nos conta a história de Ulisses e sua longa jornada de volta para casa, que incluía passar por um local conhecido pelos navegantes como habitação de sereias, criaturas que atraíam para a morte os que se permitiam seduzir por seu belo canto. Alertado do perigo, Ulisses pediu que lhe amarrassem ao mastro do navio para não ceder ao engano, e assim sobreviveu ileso à viagem.

Essa história deu origem à expressão popular "deixar-se levar pelo canto da sereia", ou seja, crer no que não é real, deixar-se enganar pelas aparências. Infelizmente, na vida real, nem sempre o final da história é tão feliz. Muitos se deixam seduzir pelo "canto da sereia", e não raro sucumbem às aparências.

Na igreja ocorre um fenômeno semelhante. Quando damos ouvidos aos sussurros que nos afastam de Deus, quando terceirizamos a espiritualidade e o relacionamento com o Pai, não estaríamos nos deixando levar pelos encantos das sereias deste mundo? Ora, se os sussurros prometem que não precisamos nos preocupar em nos aproximar de Deus, nem em ouvir a voz do Bom Pastor e Bom Mestre, não seriam tais sussurros o canto da sereia, prometendo-nos levar ao porto seguro da fé?

Existe por parte de alguns integrantes da comunidade cristã um claro equívoco que é fruto do desconhecimento da verdadeira voz de Cristo. Crendo ouvi-lo, essas pessoas têm dado ouvidos ao canto da sereia. Embora haja uma clara diferença entre a voz de Cristo e a voz da sereia, só aqueles que conhecem Cristo e a Palavra são capazes de percebê-la. O desinteresse pela Palavra pode ser entendido como um refrão do canto da sereia, pois reafirma o engano.

Em contrapartida, aqueles que conhecem Cristo e caminham com ele, e que portanto não se pautam pelo testemunho de terceiros, sabem que a voz de Jesus produz vida, e vida plena. Já o canto da sereia, embora se apresente lindamente, esconde algo terrível: a morte.

Nosso relacionamento com Cristo é o único antídoto contra a sedução deste mundo. Como Ulisses, precisamos nos atar ao mastro, que é Cristo. Só quando nos ancoramos nele podemos escapar da morte. Só nele temos e teremos a verdadeira vida. Ele é a verdadeira beleza.

Talvez você esteja se perguntando por que damos ouvidos a outras vozes que não a do Bom Pastor. O motivo é simples: queremos ouvir o que nos agrada de imediato, o que satisfaz rapidamente nossos desejos. Não raro, essas ações precipitadas nos conduzem a um caminho sem volta, ao local de habitação das sereia. Assim, surdos para a verdade, nós nos deixamos enganar.

O mundo explora o que é aparente, visualmente bonito e audivelmente agradável. Essa estratégia é bem utilizada nas campanhas de *marketing* e publicidade a fim de induzir o público-alvo a adquirir produtos e serviços ou adotar determinado comportamento e opinião. Vivemos na sociedade do "se isso faz você feliz, vá em frente", "busque o que lhe traz satisfação" e "aproveite o momento". Não era isso que as sereias ofereciam aos incautos navegantes? O prazer momentâneo que o belo canto e a linda visão daquelas criaturas proporcionavam? E, sem se dar conta, eles caminhavam direto para a morte.

Essa busca incessante pela satisfação da alma é fruto da queda, do pecado, que separou o homem de Deus. No entanto, distanciada de Deus, a humanidade se viu carente de descanso e paz, pois fomos criados para ele. Em outras palavras, sem Deus estamos condenados ao fracasso, à morte e a sucumbir aos sussurros e aos encantos da sereia na vã tentativa de preencher o vazio deixado no coração pelo pecado e pelo consequente distanciamento do Eterno.

Esse quadro, entretanto, pode ser revertido. Por meio de Jesus Cristo e pela graça do Espírito, podemos voltar a desfrutar a presença divina. Nossa existência não precisa ser vazia e sem sentido. Ao contrário, fomos feitos para glorificar a Deus e viver plenamente nele. Fomos criados para, nele, encontrar satisfação plena. Só "ele me faz repousar em verdes pastos e me leva para junto de riachos tranquilos" (Sl 23.2).

A Bíblia afirma que Jesus ofereceu a própria vida para, em nosso lugar, receber o castigo que merecíamos. Ele nos abriu olhos e ouvidos para que pudéssemos ver e ouvir a voz de Deus. Curou enfermos, sentou-se à mesa com pecadores e deixou-se tocar a fim de liberar cura. A experiência humana se torna completa na pessoa de Jesus. Nele, o coração humano encontra, enfim, descanso e paz. E tudo isso se dá pelo relacionamento. É o relacionamento com Cristo que nos faz conhecidos dele; é o relacionamento que nos permite conhecê-lo e reconhecê-lo. "Minhas ovelhas ouvem a minha voz", disse Jesus sobre seus discípulos (Jo 10.27).

Além disso, relacionamentos baseiam-se no amor. Se o foco não estiver em Deus, nosso amor será completamente coisificado, e aí está um dos grandes problemas de nosso tempo: as pessoas têm mais amor pelas coisas que pelo próximo. Em sua obra magistral *Você é aquilo que ama*, James K. A. Smith descreve como o amor mal direcionado pode se tornar um perigo para aqueles que dizem buscar a Deus. Ele argumenta que uma força motivadora nos ajuda na tomada de decisões:

> Ser humano é ser estimulado e orientado por alguma ideia boa de vida, por alguma imagem daquilo que consideramos que seja florescer. E nós queremos isso. Ansiamos por isso. É por isso que nosso modo mais básico de orientação para o mundo é o amor. Somos orientados por nossos anseios, direcionados por nossos desejos. Adotamos modos de vida que correspondem a tais visões de uma boa vida, geralmente não

porque ponderamos cuidadosamente nossas opções, mas, sim, porque determinada imagem atrai nossa imaginação.[1]

O que Smith está dizendo é que os desejos podem ser traiçoeiros se não descansarmos em Deus. Se não encontrarmos nele nosso porto seguro, viveremos como nômades espirituais, buscando paz em todo tempo e lugar. É basicamente o que tem acontecido hoje. Percebemos uma busca crescente por espiritualidade, mas as pessoas o fazem em lugares errados e por motivos errados. Seu foco está em uma imagem idealizada ou em satisfazer o coração, e acabam atraídas pelo canto da sereia. Ficam aprisionadas por um longo período até se darem conta de que viveram uma ilusão.

Amamos, mas não do modo correto. Como amar sem que se conheça o Deus cuja essência é o verdadeiro amor? Nosso amor será sempre deficiente se vivermos à margem do Criador, e com tal afirmação não quero dizer que o verdadeiro amor só é conhecido daqueles que frequentam dominicalmente as celebrações e a comunidade, sejam ou não membros. Não se trata disso! Creio que muitos vivem perdidos mesmo dentro da comunidade de fé.

O canto da sereia se faz mais presente do que imaginamos. Pode ser facilmente ouvido por meio dos gurus e falsos mestres que pregam um evangelho que torna Deus mero figurante e que objetiva manter-nos afastados de nossos dilemas. O que seria isso senão viver uma espiritualidade terceirizada?

Os que sobrevivem a essas aventuras desastrosas voltam para casa destruídos, carregando um fardo enorme e de cuja dor só a cruz de Cristo poderá libertar. Embora nessa longa jornada de volta para o lar tenhamos de enfrentar muitas aventuras e riscos, chegaremos a bom porto se nos mantivermos ancorados e firmes no mastro, que é Cristo. Em vez de seguir os desejos enganosos do coração, precisamos nos aproximar cada vez mais de Jesus, pois ele é o caminho que nos leva para casa.

É a voz de Jesus que precisamos ouvir. Sua voz traz vida, como fez com Lázaro. Sua voz acalma os ventos, como fez na travessia do mar da Galileia. Portanto, por mais tempestuosa que nossa jornada se torne, Jesus estará sempre presente. O que precisamos é aprender a esperar. Nem sempre ele responderá no momento exato em que clamamos, mas ele chegará no momento exato em que a tempestade deve ser contida.

Por isso, não dê ouvidos aos gurus e aos ditos sábios deste mundo. Eles têm por finalidade desviar-nos da rota que nos leva para casa, para os braços do Pai. Em vez disso, olhe para Cristo e ouça a voz dele. Ela é a voz que traz vida ao universo, é a voz que do caos faz surgir beleza, é a voz que nos chama para seguir em frente.

7

"Agora, eu te vi com meus próprios olhos"

Um jornalista, ciente da recente conversão do escritor inglês G. K. Chesterton ao cristianismo, fez-lhe a seguinte pergunta: "Se Cristo estivesse, agora, atrás do senhor, o que faria?". Chesterton, com sua argúcia característica, teria respondido: "Ele está".

Se, hoje, perguntarmos a alguns cristãos onde está Deus, a maioria talvez diga que ele está no céu. Embora essa resposta não esteja totalmente errada, ela denuncia nossa falta de conhecimento de Deus e mostra que na verdade não andamos com ele.

Creio que Chesterton compreendeu a plenitude da confissão de Jó: "Antes, eu só te conhecia de ouvir falar; agora, eu te vi com meus próprios olhos" (Jó 42.5). Esse é o desafio para o exercício de uma espiritualidade que vai além do véu.

Antes de irmos adiante, pense um pouco: onde está Jesus neste momento? A realidade da presença de Cristo deve ser encarada como um pilar de nossa fé. Se ele está presente aqui e agora é porque ressuscitou, e se ressuscitou é porque a morte não conseguiu vencê-lo. Portanto, ele cumpriu a promessa feita antes de sua ascensão ao céu: ele iria, mas enviaria o Espírito Santo para aconselhar seus seguidores e dar-lhes poder. Então por que nos deixamos invadir pelo medo? Por que o desespero apossou-se de nosso coração?

A crença na onipresença de Cristo é um fruto da fé que o Espírito Santo opera em nós. Deus se faz presente por meio de seu Espírito. Ele vive aqui e agora, e nunca se afasta de nós. Ao contrário, está sendo manifesto no mundo em cada abraço e sorriso que levamos para quem nos rodeia. A ressurreição não serve apenas como lembrete de que a morte não o venceu, mas é também a proclamação das boas-novas para os que estão perdidos. É esperança para os que se encontram em desespero. Ele está vivo e por isso podemos crer no amanhã.

Ver Jesus é caminhar pela fé, é entrar na presença de Deus e desfrutá-la. É lançar fora todo medo que nos aprisiona e nos obriga a viver como miseráveis espirituais. É compreender que não precisamos de terceiros para ouvi-lo e para relacionar-nos com ele. Em suma, ver Jesus é um convite para uma caminhada de confiança e amor plenos.

Alguns cristãos apresentam um sério problema de imaginação quanto à presença de Jesus neles, e isso dificulta a percepção de uma espiritualidade que ultrapassa as reuniões que acontecem na congregação. A falta de imaginação nos faz prisioneiros da fé alheia, que não poucas vezes é uma fé deficiente.

Talvez a não valorização do conceito de ressurreição e da presença de Cristo no dia a dia se deva ao caráter aparentemente extravagante dessa ideia. Imagine Jesus olhando-nos todo o tempo, enquanto tentamos não quebrar aquela promessa de não sobrecarregar o orçamento com mais uma compra desnecessária ou algo semelhante. Essa ideia nos dá a sensação de um Cristo detetivesco, preocupado em nos espionar. Já ouviu a frase: "Jesus está vendo..."? Frases como essa nos aprisionam e geram um medo inconcebível da presença de Cristo. Então, concluímos que o melhor é não pensar que — onde quer que estejamos e fazendo o que quer que seja — Cristo está conosco. Mas o fato é que ele não apenas está conosco como também está sendo visto por meio de nós, agentes do reino e discípulos dele que somos.

Esse medo provém de uma compreensão incorreta da salvação. Conforme a Bíblia nos diz, a salvação é fruto do sacrifício de Cristo na cruz. Sua ressurreição apagou nossos pecados e, portanto, nenhuma condenação há para os que estão nele. Assim, não há razão para ter medo da presença constante de Jesus. Ao contrário, devemos alegrar-nos, pois quando olhamos para ele o que precisamos ver são seus braços abertos, convidando-nos para caminhar em direção ao lar. Sua presença é o bálsamo que suaviza a dor das feridas causadas pelas promessas infundadas deste mundo. Ele conhece nosso coração e, apesar do que somos, ele morreu por nós, para que pudéssemos desfrutar o que ele está preparando para nós na eternidade.

O temor infundado em relação a nossa condenação e que nos impede de manter um relacionamento profundo e sincero com Cristo precisa ser expurgado, como precisa ser eliminada também a ideia de um Deus vingativo. Tudo isso não passa de ensinamentos legalistas apresentados por falsos mestres que não desejam que tenhamos um relacionamento autônomo e direto com o Eterno.

Se não fosse por Cristo, todos estaríamos condenados diante de Deus; em vez disso, fomos escolhidos para fazer parte de seu reino, como sua propriedade exclusiva comprada por seu sangue. Não existe nenhum cômodo de nossa casa que Cristo ainda não tenha visitado ou que lhe seja desconhecido. Não importam os segredos que guardamos no coração, não podemos escondê-los dele.

Assim como Jó, podemos então dizer: "Agora, Senhor, eu te vi com meus próprios olhos, e por isso sou levado a reconhecer minha miserável condição humana de pecador e, ao mesmo tempo, tua graça maravilhosa para comigo". A presença de Cristo não deve ser motivo de tormento para os que foram alcançados pela graça, mas sim motivo de alegria e humildade diante da misericórdia e da salvação que nos foram concedidas. Quando nos conscientizamos disso, a mente é transformada a ponto de sermos capazes de estender amor e misericórdia ao próximo. O evangelho deixa de ser uma realidade abstrata para se tornar uma manifestação prática do amor gerado em nosso coração pelo Espírito Santo.

Precisamos estar atentos à falsa espiritualidade que está sendo pregada e que gera escravos espirituais, aprisionados numa série de falsas doutrinas que supostamente levam à graça divina. Essa falsa espiritualidade não nos permite enxergar as verdadeiras ações de Deus para resgatar os perdidos, nem obedecer a sua vontade soberana. O verdadeiro teste para o cristão é proclamar a mensagem que traz vida e transformação ao mundo, interagindo com o mundo sem pertencer a ele.

Em seu livro *O desejo*, o teólogo James Houston afirma:

> Nossa tentação é buscar um senhor acima de nós, a quem entronizamos como nosso rei — nossa própria e limitada perspectiva sobre a vida. Não é diferente de esculpir um boneco, uma imagem, ou criar um ídolo, diante dos quais nos reverenciamos em adoração. Porém, Jesus Cristo não pode ser menos que criador e redentor de toda a realidade. Somente ele pode libertar nossos desejos de deformidade e nos dar uma nova memória, pela qual nossa vida pode começar novamente.[1]

Precisamos aprender que somente por meio da realidade da ressurreição e da presença de Cristo nos é dada a noção da realidade sobre Deus. Logo, esconder-se de Cristo é o mesmo que esconder-se da face de Deus — o que é impossível, por mais que, em nossa loucura, acreditemos nisso. Não há realidade que o Pai não possa contemplar, nem respostas inexistentes em Deus. O que de fato pode acontecer é ele não responder a nossos questionamentos, mas ainda assim seu silêncio nos é suficiente para trazer clareza e infundir confiança em meio à jornada.

Caminhar com Deus e vê-lo face a face por meio de Jesus não significa ter resposta para todos os questionamentos ou acontecimentos da vida. Ao contrário, é crer duvidando, assim como Tomé; é ter esperança e fé em meio à angústia. Em nossa caminhada, ainda que dúvidas nos assaltem e perguntas permaneçam sem resposta, Cristo estará conosco para lembrar-nos de que ele tudo sabe e não estamos sós.

Haverá momentos na jornada em que as pessoas nos pedirão provas a respeito da ressurreição de Cristo e nos questionarão: "Onde estava Deus quando eu não consegui passar naquele concurso, sabendo que era a única oportunidade de sustento da família?", "Onde ele estava quando perdi o emprego?", "Onde ele está agora que recebi o diagnóstico de uma doença incurável?".

Talvez tudo o que você ouça seja o silêncio. Mas não desanime. Não precisamos de provas externas além daquelas que habitam em nosso coração. Ele está vivo e presente em nós, ainda que não o vejamos. O silêncio também é um meio de nos lembrar de que ele está aqui. Cristo nos disse que sempre estaria conosco, até o final dos tempos, e ele jamais descumprirá suas promessas.

Até mesmo quando a morte bater à porta, não há o que temer, pois a vida que habita em nós venceu a morte. Paulo sabia claramente o que isso significava: "Ó morte, onde está sua vitória? Ó morte, onde está seu aguilhão?" (1Co 15.55). Que ousadia! A presença do Cristo ressurreto nos encoraja diante das adversidades da vida. Podemos rir da morte e alegrar-nos porque a vida plena habita em nós.

O que precisamos é estar atentos aos acenos de Deus. Em meio a um turbilhão de ideias, pensamentos e tarefas, o exercício a que somos chamados é perceber a presença de Deus. Talvez esse seja o maior dos exercícios espirituais. Nas palavras de C. S. Lewis: "A verdadeira labuta é lembrar, prestar atenção. Na verdade, despertar. Mais ainda, permanecer desperto".[2]

Certo dia, eu estava em casa com minha esposa e ela me chamou. Encontrei-a junto à janela, observando o movimento das árvores. Ela me disse: "Você viu? Nunca tinha parado para apreciar a beleza dessas árvores". Chesterton estava coberto de razão ao dizer: "O mundo nunca passará fome por falta de maravilhas, mas apenas por falta de maravilhar-se".[3] Existe beleza neste mundo, o que precisamos é de tempo para notá-la. Assim também, Cristo está presente e sempre perto, acenando. O que precisamos é notá-lo, e quando o fizermos, a exemplo de Jó, poderemos clamar: "Antes, eu só te conhecia de ouvir falar; agora, eu te vi com meus próprios olhos!".

8

“Fala, pois teu servo está ouvindo”

A Bíblia conta a história do menino Samuel, que se tornaria um grande profeta em Israel. Certa noite, enquanto dormia, ouviu uma voz que o chamava: “Samuel!”. Despertando, foi até Eli, crendo que o sacerdote o chamara.

“Estou aqui! O senhor me chamou?”

“Não o chamei”, respondeu Eli. “Volte para a cama.” E Samuel voltou a se deitar.

Então o SENHOR o chamou novamente: “Samuel!”.

Mais uma vez, Samuel se levantou e foi até Eli. “Estou aqui! O senhor me chamou?”

Mas Eli respondeu: “Meu filho, não o chamei. Volte para a cama”.

Samuel ainda não conhecia o SENHOR, porque nunca havia recebido uma mensagem dele. O SENHOR o chamou pela terceira vez, e novamente Samuel se levantou e foi até Eli. “Estou aqui! O senhor me chamou?”

Então Eli entendeu que era o SENHOR que chamava o menino. Por isso, disse a Samuel: “Vá e deite-se novamente.

Se alguém o chamar, diga: 'Fala, SENHOR, pois teu servo está ouvindo'". E Samuel voltou para a cama.

Então o SENHOR veio e o chamou, como antes: "Samuel! Samuel!".

Samuel respondeu: "Fala, pois teu servo está ouvindo".

1Samuel 3.5-10

Deus fala àqueles que ouvem sua voz. A experiência de Samuel é uma clara manifestação da presença viva do Eterno entre nós. Quando definimos Deus como um ser pessoal, estamos dizendo que uma das características da pessoalidade é o relacionamento, que por sua vez se baseia em conversas. Se Deus está vivo entre nós, necessariamente conversa conosco. No entanto, quando o silenciamos, é como se ele deixasse de existir para nós. Pense com cuidado: qual foi a última vez que você ouviu a voz do Eterno? Qual foi a última vez que reservou tempo para conversar com ele?

Lembro-me de uma bela definição sobre oração que aprendi na escola bíblica: oração é a respiração da alma e o meio pelo qual falamos com Deus. Nunca me esqueci dessa definição porque ela está amplamente associada à vida. Aqueles que oram estão vivos. A oração é um termômetro de nossa espiritualidade, revelando quão sadios são nossos relacionamentos. Sobre isso, James Houston escreve:

Há uma íntima relação entre nossa necessidade de relações humanas mais ricas e nossa necessidade de maior intimidade com Deus. Cada dimensão (nosso relacionamento

> com Deus e nosso relacionamento com pessoas) reforça a outra. [...] Se achamos difícil ter relacionamentos duradouros com nossos semelhantes, teremos muito mais dificuldade em nos relacionar de forma profunda com um Deus que não podemos ver. Visto de outro ângulo, fica claro que nunca poderemos declarar que temos uma relação calorosa com Deus, em oração, se nosso relacionamento com as pessoas estiver ruim.[1]

A espiritualidade denuncia o estado da pessoalidade e dos relacionamentos, quer amorosos, quer profissionais, quer de amizade. O foco fora de Deus tem "coisificado" nosso amor por ele. E se existe algo que temos deixado muito a desejar na espiritualidade é o encontro com o Criador. Refiro-me a encontros programados, sérios, para os quais precisamos disponibilizar um recurso precioso: tempo.

Muitos cristãos, hoje, alimentam uma ideia equivocada sobre oração. Afirmam que não precisamos preparar-nos ou investir tempo para falar com Deus. Para eles, quem o faz é legalista ou hipócrita, uma vez que temos acesso a Deus a qualquer hora e em qualquer lugar. Embora tenhamos de fato acesso irrestrito a Deus, o restante da afirmação mostra uma clara confusão quanto ao significado de maturidade espiritual, frieza espiritual e legalismo. Ser maduro não significa ignorar ou reduzir a nada o tempo e o relacionamento com Deus. Ao contrário, porque somos maduros nós buscamos nos relacionar com ele cada vez mais, pois a maturidade espiritual traz a consciência do pecado, o que nos ajuda a permanecer em alerta, gerando em nós um compromisso de amor com Deus.

Confundida com maturidade, o que ocorre na maioria das vezes é frieza espiritual. Quem não ora vive um relacionamento de inércia com Deus. Quem não entra na presença do Eterno para ouvir e falar com ele está fadado à morte.

É fato que muitos se escondem atrás de uma suposta vida de oração, numa suposta espiritualidade que suplantaria todos que o rodeiam. A verdadeira maturidade não é aquela que respira e destila versículos bíblicos a cada palavra pronunciada, mas sim a que traz vida ao próximo, e isso não é possível sem relacionamentos responsáveis e sinceros. Responsabilidade e sinceridade infelizmente têm faltado cada vez mais nas relações humanas; afinal, por que assumir o compromisso de amar e ser autêntico com o outro se podemos isentar-nos dessa obrigação?

Muitos se esquecem de que responsabilidade e sinceridade refletem a alma de um relacionamento. O reflexo pode ser revelador no sentido de trazer à tona as imperfeições, e apenas os humildes conseguem encará-lo sem máscara. Um relacionamento sincero nos torna suficientemente humildes para reconhecer que não somos melhores que os demais, que a coragem e o medo convivem dentro de nós, e justamente por não querer revelar nossa fragilidade muitas vezes evitamos relacionamentos significativos e verdadeiros.

Essa mesma lógica se aplica quando a questão é nosso relacionamento com Deus. Sabemos que ele nos conhece, por isso procuramos nos esconder dele, mesmo reconhecendo quão tola essa atitude possa ser, uma vez que não existe nada oculto para o Eterno. O que esquecemos é que nossas imperfeições não são refletidas no espelho da alma pelo simples fato de que foram cobertas pelo sangue de Cristo. Por isso somos aceitos pelo Eterno. Jesus nos purificou do pecado e sorri para nós, sussurrando-nos: "Está consumado". Ele pagou um preço para que pudéssemos entrar no santuário e ver Deus face a face, diretamente, sem intermediações de qualquer figura de liderança ou autoridade espiritual.

Portanto, ainda que na oração nosso eu seja completamente desnudado e revelado perante Deus, não há o que temer. O sangue purificador de Cristo nos cobre. Sim, o Eterno nos conhece; ele é mais íntimo de nós do que nós mesmos, como disse Agostinho. Não há nada a nosso respeito que ele não saiba. Mas não é esse o ponto. A questão é que nível de prioridade Deus ocupa em nossa vida. Conversando com uma jovem sobre sua vida de oração, ela me disse: "Não tenho tido muito tempo para orar. O trabalho e os estudos têm me consumido. Mas Deus sabe que preciso melhorar". Embora a sinceridade em reconhecer a necessidade de mudar essa situação tenha sido positiva, isso não me deixou menos preocupado. Não se trata apenas de reconhecer que não mantemos um relacionamento contínuo com Deus, qualquer que seja o motivo, mas das prioridades que estabelecemos na vida. Uma pessoa que não tem tempo para encontrar-se com Deus está demonstrando que outras coisas têm primazia sobre ele.

Como cristãos, não podemos entender o trabalho, o estudo ou o que quer que seja como algo separado da oração. Na verdade, ela deve ser o carro-chefe em qualquer atividade. Não podemos esquecer que somos proclamadores do reino em toda circunstância e em todo lugar. O local de trabalho ou de estudo é campo fértil para o exercício da missão que o Senhor nos confiou. Mas, se nossa existência estiver dissociada da pessoa de Deus, ela não terá sentido algum. Se teimarmos em ignorar sua presença, estaremos nos condenando a uma vida vazia.

O Senhor chama os seus pelo nome. Aqueles que creem que ele vive certamente o ouvirão. Ele nos conhece. Não é um Deus estranho, como alguns ousam proclamar. Não é um Deus cujo nome não pode ser pronunciado. Ao contrário, ele é um Deus amoroso, acessível, agradável e que deseja desfrutar nossa companhia. Para isso, porém, em vez de nos esconder, como nossos pais no jardim, precisamos estar atentos a seu chamado e nos alegrar com sua presença. Certamente o pecado tentará incutir-nos medo a fim de nos afugentar, mas já não precisamos responder: "Ouvi os teus passos no jardim, tive medo e me escondi". Em vez disso, podemos responder: "Fala, pois teu servo está ouvindo".

9

Espiritualidade do espetáculo

Talvez não seja exagero afirmar que uma das marcas de nosso tempo seja a espiritualidade, singularmente compreendida nos variados segmentos. A busca frenética por ela tem gerado o surgimento de diferentes movimentos, nos ambientes corporativo, acadêmico, social e natural. Vivemos a época do espiritual, a ponto de podermos dizer que o maior problema de nossa geração já não é o ateísmo ou o ceticismo, mas a busca mal direcionada da espiritualidade.

Esse cenário também pode ser visto no contexto cristão. Cada vez mais emergem grupos e movimentos ávidos de espiritualidade, o que em si não constituiria nenhum motivo de preocupação — ao contrário, deveria ser entendido como bênção —, não fosse o fato de que essa espiritualidade está moldada ao padrão deste mundo.

A espiritualidade cristã deve produzir vida e levar as pessoas a assemelhar-se a Cristo; no entanto, os cristãos têm se deixado levar por uma cultura que valoriza o superficial e banal e que cauteriza o senso crítico. Isso nos torna suscetíveis ao consumo cego de uma espiritualidade que, em vez de promover transformação e compromisso com o Cristo crucificado, prioriza a imagem. E não estamos falando da imagem do Cristo sofredor, que com sua beleza salva e purifica o mundo, mas da imagem proporcionada por uma espiritualidade centrada em trovões e relâmpagos.

O que me parece é que estamos cada vez mais preocupados com o que podemos ver e desfrutar aqui e agora. Mesmo os cultos regados a experiências e manifestações sobrenaturais, no fundo, apenas focam o que Deus pode oferecer no momento, e não o caráter eterno do Senhor. Se examinarmos nossa relação com o Eterno, perceberemos que na maioria das vezes ela coloca em primeiro lugar a satisfação de nossos anseios carnais para só então nos voltarmos para servi-lo, para oferecer-lhe nossa fidelidade e nosso amor. Faremos tudo isso, desde que nesta vida sejamos felizes e tenhamos poder.

Estamos mais preocupados em ver Deus agir que em relacionar-nos com ele, em ver o monte fumegar que em purificar-nos e apresentar-nos diante dele para ouvi-lo. Isso me faz pensar que até mesmo os pensamentos e desejos mais elevados de presenciar o poder de Deus, de ser usado por ele de maneira sobrenatural, não passam, algumas vezes, de um simples desejo de ver Deus agir.

A verdadeira espiritualidade, no entanto, não está focada no que Deus pode fazer, e sim em quem ele é e na verdadeira adoração que lhe é devida. Ela busca encontros transformadores, e não sinais de fogo e fumaça. Ela se manifesta na consciência de nosso pecado, levando-nos a prostrar-nos em terra em reconhecimento de que somos indignos, mas ao mesmo tempo amados e desejados pelo Pai.

O que precisamos é ansiar pela presença do Eterno no coração, em vez de buscar sinais e manifestações pirotécnicas, tentando encontrar Deus na aparente sobrenaturalidade. Essas supostas experiências não produzem transformação de caráter, nem manifestam Cristo para aqueles que estão em volta.

Há muitas ideias equivocadas sobre espiritualidade. Certa vez, depois de ministrar um estudo bíblico sobre oração e relacionamento íntimo com Deus para um pequeno grupo, um irmão afirmou: "Tenho um nível de intimidade com Deus que me dá acesso a ele em qualquer lugar". Muito bem. Prosseguiu: "Ele me concede tudo o que lhe peço. Sempre reivindico em minhas orações porque sou filho e mereço. Não há nada que eu lhe peça que ele não me dê". Uma rápida olhada ao grupo mostrou o assombro de todos, que também desejavam ter esse nível de intimidade. Por fim, acrescentou: "Posso ensinar a vocês como faço". Respirei fundo e disse ao grupo: "O irmão está melhor que todos nós". Rompeu-se, então, uma gargalhada, para descontração de todos. Esse episódio me trouxe à mente as palavras de Timothy Keller, que diz que, se você adora um Deus que lhe dá tudo o que precisa, você deve ter cuidado, pois pode estar adorando uma versão divinizada de si mesmo.

Deus não é obrigado a nos dar nada. É por sua graça e misericórdia que alcançamos a salvação, e ela nos garantiu o maior presente: reconciliar-nos com ele. Esses equívocos a respeito de Deus advêm de uma espiritualidade que sobrevive do espetáculo, que se distancia da verdadeira graça. Uma espiritualidade que observa o monte de longe, apenas para ver Deus agir em benefício dos espectadores. Uma espiritualidade que se assemelha à demonstrada por Israel no deserto, cujo objetivo era desfrutar as bênçãos e os favores divinos. Queriam comer bem, mas não se ocupavam em prestar adoração ao Eterno. Seu relacionamento com o Senhor fundamentava-se apenas no suprimento de suas necessidades básicas de sobrevivência. Nada mais era que uma espiritualidade focada na satisfação imediata. Em outras palavras: "Eu creio no Deus todo-poderoso, desde que ele se mantenha em silêncio a meu respeito". Que imaturidade!

Essa espiritualidade que transforma Deus em um gênio da lâmpada tem nos feito perder espaço para a proclamação do evangelho. Estamos criando uma geração de cristãos vazios e mimados, que se ressentem facilmente quando Deus não lhes responde como esperam. Estamos nos rendendo ao espírito deste tempo, que prega triunfalismo e resultados imediatos, e abandonando o sofrimento decorrente do testemunho do amor ao Cristo crucificado.

Na espiritualidade contemporânea, não há espaço para a experiência da dor. Certamente não entenderíamos os heróis da fé, que perderam a vida em prol do testemunho de Cristo. Eles não conseguiram desfrutar tudo que a terra lhes prometia, mas isso não os impediu de ser fiéis. Resistiram à tentação de Satanás e entenderam que, ao contrário da Palavra, o pão desta terra não é capaz de nos satisfazer. Seguiram o exemplo de seu Mestre, que ensinou: "Uma pessoa não vive só de pão, mas de toda palavra que vem da boca de Deus" (Mt 4.4).

Se nos atentarmos à atitude de Cristo, perceberemos que a espiritualidade moderna sucumbiu às tentações do mundo por falta de conhecimento da Palavra. Corremos loucamente em busca de uma resposta de Deus, quando poderíamos estar simplesmente aos pés do Mestre, usufruindo de sua presença. Corremos para ganhar o mundo, enquanto perdemos a alma. Confiamos no que a vida pode oferecer, esquecendo-nos de que tudo não passa de mera sombra daquilo que desfrutaremos na eternidade. Nada nesta vida pode comparar-se ao que Deus tem nos preparado. Um olhar fixo para a eternidade nos ajuda a lutar contra toda sedução que este mundo nos impõe. A eternidade nos ajuda a compreender as dores momentâneas. É curioso que alguns cristãos se neguem a passar pela dor, almejando uma espiritualidade meramente triunfalista, em claro desconhecimento de quem nosso Deus verdadeiramente é e de que, em Cristo, ele sofreu por amor a nós.

O filósofo francês Blaise Pascal compreendeu a essência da espiritualidade alicerçada no Cordeiro de Deus, aquele que com sua morte e sofrimento trouxe perdão e paz à humanidade. Ele disse: "Concedei-me a graça, Senhor, de ajuntar vossas consolações a meus sofrimentos, a fim de que eu sofra como cristão".[1] Pascal entendeu que no sofrimento há bênção e que por nossa dor Deus, que usa todas as circunstâncias para manifestar seu amor ao mundo, é glorificado. Mais que isso, ele entendeu que como discípulos é um privilégio para nós passar a vida em Cristo, seja na adversidade, seja na bonança.

A verdadeira espiritualidade, portanto, não escolhe circunstâncias para glorificar o Eterno e tornar seu nome conhecido. Não sou abençoado apenas quando consigo e vivo de acordo com o que sempre sonhei e desejei. Pascal mostra que o valor de uma vida espiritual alicerçada em Deus não está isenta de dores, "pois essa é a recompensa dos santos".[2]

Com isso não estou afirmando que a verdadeira espiritualidade é traduzida por uma vida de gemidos, num calabouço, rangendo os dentes. O que quero dizer é que não deixamos de ser abençoados só porque sofremos ou porque Deus não nos concede o que desejamos. O que precisamos entender é que a vontade do Eterno difere, na maioria das vezes, da nossa, e não raro a contraria. A alegria espiritual não deve, por isso, basear-se nas respostas ou nas vitórias obtidas, mas apenas em Deus, e isso independe da satisfação material. Era o que Paulo tinha mente ao dizer: "Posso todas as coisas por meio de Cristo, que me dá forças" (Fp 4.13). A alegria do apóstolo era Cristo. Portanto, se Jesus deve ser a fonte de nossa existência, não sou abençoado porque tenho alguém que gosta de mim ou porque tenho um bom emprego ou uma vida aprazível; sou completo porque Cristo vive em mim.

Mais uma vez, se olharmos para os gigantes da fé,

veremos que a maioria suportou, com alegria, a dor e o sofrimento em nome de Cristo. Não é exagero afirmar que muitos deles perceberam o verdadeiro sentido de alegria e plenitude quando foram privados de algo que desejavam na carne. A privação tornou-se um instrumento capaz de mostrar-lhes que a plenitude da vida está no verdadeiro encontro com o Mestre, e não no que Deus poderia fazer para satisfazer seus desejos. Em outras palavras, a alegria plena só é alcançada quando desfrutamos a presença do Eterno, quando o adoramos em espírito e em verdade, independentemente da satisfação de nossos desejos.

Na oração de Pascal, mais uma vez encontramos a profundidade da verdadeira compreensão da alegria em meio à dor: "E já que nada é agradável a Deus senão o que é por vós oferecido, uni minha vontade à vossa e minhas dores às que sofrestes. Fazei que as minhas se tornem as vossas. Uni-me a vós; enchei-me de vós e de vosso Espírito Santo".[3]

Não existe alegria ou bênção maior que estar plenamente conectado com Cristo. Não há espetáculo maior e mais intenso que ser levado pelo Espírito a viver as coisas do alto, a contemplar o Cordeiro sentado em seu trono. Somos convidados a adorá-lo, prostrados, porque ele é santo. Não há nada nesta terra que possa comparar-se a essa experiência. Não há resposta de oração mais satisfatória que viver a plenitude da graça.

Viva além do véu, além do espetáculo. Viva Cristo.

10

Selvagem e amoroso

Quando criança, fui ensinado a não pronunciar o nome de Deus de maneira vã, sob pena de me tornar réu do castigo divino. Por causa disso, eu vivia em estado de alerta máximo. Mais tarde, percebi que o conceito por trás desse ensino estava completamente equivocado e que isso só havia trazido peso e culpa durante um longo período em minha vida. Hoje, estou ciente de que o que verdadeiramente importa é meu relacionamento com Deus, pois ele não se baseia no véu, que requer sacrifícios para entrarmos em sua presença. Em vez disso, meu relacionamento se baseia na cortina rasgada do templo e no acesso direto ao Pai.

Isso muda tudo. Muda nossa maneira de encarar Deus. Em Cristo, ele deixa de ser um Deus mal-humorado, vingativo, sisudo, para se tornar completamente acessível. Ele não é aquele ser que está sentado em seu trono com um cajado, esperando nosso próximo erro a fim de corrigir-nos ou mandar-nos imediatamente para o inferno. Ele é nosso *Aba*, nosso "Paizinho".

Talvez a maior dificuldade de reconhecermos Deus como *Aba* deva-se ao fato de que o Eterno não pode ser visto e nossa maior referência de paternidade são os pais terrenos. Ora, se nossos pais são maus conosco, é natural que tenhamos em mente uma ideia equivocada de Deus como um Pai perverso, terrível e ávido por nos punir.

Como filhos do Eterno, nosso coração deve residir na adoração, e não é possível expressar verdadeira adoração sem conhecer o Deus a quem adoramos. Mas, para conhecê-lo, precisamos ter em mente o paradoxo que reside na pessoa do Senhor, manifestada em Cristo. Ele é um Deus selvagem e ao mesmo tempo amoroso. Esse Deus selvagem e amoroso é magistralmente retratado por C. S. Lewis na figura do leão Aslam em *As Crônicas de Nárnia*: "O importante é não pressioná-lo, porque, como sabem, ele é selvagem. Não se trata de um leão domesticado".[1] É um Deus que não se encaixa em nossas fórmulas humanas pré-concebidas. Nossa adoração, portanto, deve considerar seu caráter amoroso e, ao mesmo tempo, selvagem. Se tentarmos dissociar essa realidade, comprometeremos nossa percepção sobre a verdadeira espiritualidade.

Quando pensamos na pessoa de Deus e na adoração que lhe rendemos, temos de lembrar que ele é o Todo-poderoso, que atravessou o tempo, conhece o futuro e trouxe o universo à existência por meio de sua palavra. Estamos diante de um Deus selvagem, que diz a Israel: "Eu sou o Senhor, seu Deus, o único! Aquele que destrói tudo o que se levanta contra si como sucedeu aos egípcios!".

No entanto, esse Deus selvagem nos convida a achegar-nos à sua presença e, prostrados, render-lhe profunda adoração. Ele quer que o façamos sem medo, sem preocupar-nos com relâmpagos e trovões, sem intermediários. Ele deseja que o chamemos de *Aba*, pois seu amor por nós transborda profusamente, reiterando as palavras do apóstolo João: "Deus é amor" (1Jo 4.8). Até mesmo sua manifestação selvagem e terrível é amor. E é isso que o torna capaz de descer do seu trono e alegrar-se conosco, como um pai se alegra com os primeiros balbucios de um filho.

Esse é o nosso Deus! Ele é terrível, selvagem *e* amoroso! É por isso que precisamos entender que a verdadeira adoração está condicionada ao real conhecimento que temos de Deus. Se não o conhecermos profunda e verdadeiramente, incorreremos no erro que tem devastado a espiritualidade contemporânea: a incompreensão do paradoxo do selvagem-amoroso.

Podemos aprender com o autor de Hebreus o que significa viver esse paradoxo:

> Uma vez que recebemos um reino inabalável, sejamos gratos e agrademos a Deus adorando-o com reverência e santo temor. Porque nosso Deus é um fogo consumidor.
>
> Hebreus 12.28-29

A verdadeira adoração, portanto, não pode ser dissociada do conhecimento da natureza paradoxal do Eterno. Precisamos entrar em sua presença cientes de que ele é ao mesmo tempo amor e fogo consumidor.

Conhecê-lo nos conduz a uma vida de amor e santidade, manifestada na plenitude de uma adoração que não se resigna a uma espiritualidade dependente de terceiros nem banalizadora do temor e do terror de um Deus selvagem.

A verdadeira espiritualidade é um convite a uma vida de paradoxos, mas de equilíbrio entre amor e temor. Relacionar-se com o Eterno é como caminhar na corda bamba. É necessário equilíbrio constante para alcançar a outra margem do rio. É ter ao mesmo tempo temor e coragem de caminhar. Se nos voltamos apenas para os extremos, revelamos pouco conhecimento da verdadeira natureza divina. Os extremos não são benéficos ao crescimento e à compreensão da fé. Ao contrário, eles nos aprisionam numa espiritualidade que nos torna incapazes de perceber a plenitude da graça e do amor de Deus, fazendo-nos viver sob um dos dois tipos de véu: o véu do Deus amoroso e o véu do Deus selvagem.

Viver apenas sob o véu do amor revela a falsa espiritualidade de conceber um Deus que, por ser apenas amoroso, é incapaz de permitir sofrimento ou infligir disciplina a seus filhos. O resultado é uma vida de libertinagem, fruto de uma compreensão equivocada do amor e da graça divina. Certa vez, um jovem me disse que Deus não estava preocupado com suas ações, mas sim com a atitude de seu coração bondoso e amoroso. Estava preocupado em amá-lo, e não em observar seu estilo de vida, pois Deus é amor, e isso é o que importa.

Essa percepção revela uma visão distorcida de quem

Deus é. Cristo é o grande exemplo do que o amor de Deus é capaz de fazer por nós. Ele, aliás, é a expressão máxima do amor divino. Jesus orou e conversou com o Pai, jejuou por quarenta dias e noites para manifestar seu amor ao Pai. Amor não é negligência nem abandono das obrigações morais e espirituais. Muitos deixam de orar e de ler a Palavra sob a alegação de que o amor de Deus é por si só suficiente. Como saber a respeito do amor divino sem ter um relacionamento com o Eterno? Como relacionar-se com ele sem conhecer o paradoxo que nele reside? Deus é Pai, Filho e Espírito. Morreu mas vive eternamente. É homem e ser divino. É amoroso e selvagem.

Mas há os que vivem no outro extremo, sob o véu do Deus selvagem, que os mantém presos a uma espiritualidade de terror e brutalidade, e por ela são escravizados. Ambos os extremos favorecem o inimigo. Paulo nos alerta de que "não lutamos contra inimigos de carne e sangue, mas contra governantes e autoridades do mundo invisível" (Ef 6.12). O inimigo usa de estratégias para nos afastar da real percepção de quem é Deus.

É lamentável ver irmãos aprisionados pelo medo de se aproximarem de Deus. Enquanto o véu do amor banaliza a graça, afastando-a de nós, o véu do Deus selvagem banaliza a santidade, resumida ao cumprimento de ordenanças. Ambos desfazem completamente o sacrifício de Cristo. Em outras palavras, ambos reconstroem a cortina rasgada do templo.

Na ânsia de fugir da punição divina ou de sofrer as consequências terríveis pela visão de um Deus selvagem, acabamos por criar um mundo paralelo que não é o criado por Deus. Esquecemo-nos de viver o chamado de Jesus para ser sal da terra e luz do mundo, e em vez disso tornamo-nos sal da igreja e luz da igreja. Criamos um novo idioma para que os vícios deste mundo não nos alcancem, evitando assim qualquer tipo de punição. Temos medo de encarar a realidade. Perdemos de vista que a verdadeira adoração não pode estar dissociada da realidade circundante, que precisamos amar o mundo como Cristo o amou e por ele se entregou. É hora de abandonar o terror espiritual que nos aprisiona longe de Deus.

Estamos desesperados para chamar a atenção do Pai, quer em nossa aparente obediência cega, para os que vivem na orla do véu do terror e do Deus selvagem, quer em nossa aparente rebelião, para os que vivem às margens do véu da libertinagem, equivocadamente entendida como amor. Em qualquer um desses extremos, encaixamo-nos na figura dos filhos mencionados na parábola do filho pródigo. Enquanto um se perdeu fora, gastando tudo e mantendo apenas a imagem do pai amoroso, que o receberia de volta, o outro se perdeu dentro de casa, na aparente obediência, que nada mais era que o desconhecimento do amor paternal. Ora, não existe amor sem temor, nem temor sem amor. O que me parece é que ambos conheciam o pai apenas conceitualmente.

Quando pensamos na figura de Deus como selvagem e amoroso, a melhor ilustração é sem dúvida a figura de um pai. Talvez você não conheça seu pai, como eu não conheci o meu. No entanto, ainda assim existem figuras que ocupam o espaço deixado por um pai ausente. No meu caso, esse papel foi preenchido por meus avós Joaquim e Isabel, que me ensinaram as lições básicas da vida. Lembro-me de um diálogo ocorrido certo sábado, à noite, sentados em volta da fogueira:

— Amanhã cedo vamos à igreja — disse minha avó.

— Não quero ir — eu disse.

— Você vai, sim — disse ela.

— Não quero ir, mãe — respondi, pois é assim que a chamo até hoje.

Ela então olhou para aquele céu estrelado e pediu-me que visse a lua, que naquela noite exibia toda a sua glória.

— Você viu aquela mancha escura na lua?

— Sim, mãe.

— Aquilo é um homem que foi preso na lua porque não quis ir à igreja no domingo. Você quer ficar preso ali, sozinho?

— Não, mãe!

— Então, precisamos ir à igreja amanhã

— Está bem, eu vou!

Que imagem terrível, não? Ela me atormentou até que descobri tratar-se apenas de crateras lunares. Em sua simplicidade e por amar-me, meus pais-avós quiseram transmitir-me a lição de que não há nada mais importante na vida que nosso relacionamento com o Eterno, mesmo que a imagem por eles usada fosse aterrorizante para mim. Pais amorosos educam os filhos. Eles são amorosos e, às vezes, selvagens. Não comprarão tudo o que a criança deseja num supermercado, mesmo que ela esperneie e grite. Mas lhe darão aquilo de que ela precisa. Toda vez que deixamos de olhar para a figura de Deus como paradoxal, deixamos de conhecer a essência e a plenitude de quem ele é.

O Senhor é um ser complexo, sim, mas há doçura no paradoxo. Há beleza no amor e na selvageria de Deus. Precisamos temer, mas não recuar, pois, ainda que morramos de assombro, estaremos vivos.

11

Nem no monte, nem no templo

Cultuar é estar em comunhão com Deus. No imaginário de muitos cristãos, a comunhão com o Senhor se resume a estar presente num ambiente institucional, onde louvores são entoados e uma liturgia é cumprida. A ideia de adoração institucionalizada, no entanto, não passa de ilusão, uma visão distorcida de seu verdadeiro significado e, por isso, uma falsa percepção da realidade.

Os cristãos são vistos como pessoas que não têm vida fora das quatro paredes do templo. Somos taxados de tacanhos e alienados, entre outros adjetivos negativos. Isso porque muitos cristãos entendem que amar a Deus, relacionar-se e ter comunhão profunda com ele só é possível dentro do templo, nas reuniões que ali ocorrem. Mas essa é uma visão limitadora da essência e do poder de Deus, pois o Eterno está acima de tudo e presente em todos os lugares. Ele é atemporal.

Jesus afirma que o Pai quer verdadeiros adoradores, que "o adorem em espírito e em verdade" (Jo 4. 24). Assim, a adoração não se confina nem se resume ao monte ou ao templo, mas se dá quando compreendemos que o Eterno é onipresente. Sua adoração não pode ser intermediada pelo véu. Ela ocorre pela visão do Cristo glorificado, que reina soberanamente sobre todas as nações, e não apenas sobre Israel, como os judeus esperavam, mas sobre todos: escravos e livres, mulheres e homens, crianças e idosos.

Quando a adoração se submete ao véu, Cristo, o Cordeiro, deixa de ser o centro e é substituído por uma liturgia engessada, por cânticos que apelam para a realização de desejos imediatos. Essa adoração não nos leva à transformação sublime nem ao reconhecimento do nosso pecado. Ao contrário, ela nos exalta como criaturas merecedoras de tudo o que Deus possui.

É importante participar dos cultos, pois neles temos a oportunidade de estar em comunhão com os irmãos em Cristo enquanto manifestamos nossa adoração a Deus. No entanto, não podemos deixar de reconhecer que muitos de nossos cultos se tornaram vazios por não integrarem a comunhão com o Pai. Comunhão entre irmãos é importante, mas o relacionamento íntimo com o Eterno é a fonte que assegura as relações humanas. Por isso, não existem relações cristãs saudáveis sem um relacionamento saudável com o Eterno.

A compreensão distorcida dessa realidade tem gerado uma espiritualidade desequilibrada e esquizofrênica, uma vez que damos ouvidos a vozes que não a de Deus. Como resultado, temos nos tornado legalistas e totalmente cegos no que diz respeito à ação onipresente de Deus, a qual é fruto de sua soberania e de seu poder absoluto sobre tudo e todos. Esse entendimento equivocado tem produzido cristãos vazios e imaturos, incapazes de se prostrar diante do Pai em outro lugar que não o templo. *Grosso modo*, o culto se torna mais valioso que o Senhor do culto. Para muitos, o cristianismo se resume a estar presente em determinada celebração. É como se o culto ganhasse o *status* de rito de passagem pelo qual o indivíduo é conectado com o ser divino.

Mas há outro perigo, e ele está na valorização da liturgia em detrimento do culto a Cristo. Nossas celebrações são tão cheias de elementos alheios ao culto que, em vez de ajudar-nos a visualizar o Cristo cultuado, na maioria das vezes mais nos desconectam que nos aproximam do Eterno. De igual modo, muitos cânticos são vazios, não exaltando Cristo como o Cordeiro de Deus que tira o pecado do mundo e reina em absoluto poder e excelsa glória. Essa liturgia fraca nos leva ao vício de entender o ambiente de culto como um local para relaxar e obter boas energias.

Não me entenda mal: minha preocupação não está no fato em si de fazer parte de uma comunidade ou de viver uma vida comunitária, mas no equívoco do significado disso e das graves consequências para nossa vida cristã. Fico extremamente chocado com cristãos que vivem às margens do véu de uma liderança composta por gurus que os obrigam a jamais deixar sua proteção. Existe uma grave exploração espiritual, o que chamo de terrorismo da fé. Em nome da espiritualidade, pessoas vivem atormentadas por seus gurus, presas a regras com a suposta finalidade de serem abençoadas.

Comunhão com Deus e com o próximo é do que de fato precisamos. Devemos glorificar a Deus pela oportunidade que nos concede de expressar nosso amor por meio de louvores ou das outras ordenanças descritas nas Escrituras.

As palavras do teólogo alemão Dietrich Bonhoeffer são para mim bálsamo e refrigério nestes dias de individualização e virtualização do evangelho:

> O privilégio que os cristãos têm de viverem já agora em comunhão visível com outros, no período entre a morte de Cristo e o juízo final, é apenas uma antecipação misericordiosa das coisas derradeiras. É graça de Deus uma comunidade poder reunir-se neste mundo, de maneira visível, em torno da Palavra de Deus e dos sacramentos.[1]

Se, de um lado, existe a preocupação com fanáticos, no extremo oposto existe a preocupação com os demasiadamente relapsos, aqueles que não percebem a importância da vida em comunhão, que se deixam levar por uma compreensão equivocada do significado de comunhão e da importância da comunidade. Vivem um cristianismo que não os impele a observar o evangelho e a prática comunitária.

A verdadeira comunhão transforma o cristão. É a maior expressão do cristianismo trinitário. A compreensão do verdadeiro significado de comunhão com Deus nos livra de um cristianismo esquizofrênico e egocêntrico. É na comunhão que acessamos os mistérios da graça revelados em Cristo. É na comunhão que desfrutamos a graça salvadora do Cristo ressurreto e a consolação do Espírito em nós. Comunhão cristã é comunhão por meio de Jesus Cristo. Não há comunhão que seja mais ou menos que isso.

Comunhão é, portanto, preocupar-se com o próximo, e não me refiro aqui a julgamentos tolos e condenações equivocadas. Preocupação tem a ver com cuidado, que é motivado pelo amor. Julgamentos tolos têm a ver com o medo de perder a salvação por não ter comparecido a um ou dois cultos. O fato é que nem culto nem experiência comunitária — ainda que importantes para a correta compreensão do que é comunhão e graça — tem poder salvador. A salvação pertence ao Senhor do culto: o Cristo, o Cordeiro de Deus que tira o pecado do mundo.

Cultuar é estar em comunhão e intimidade com o Eterno, não importa o lugar. Como esquecer o exemplo de Jesus ao ensinar seus discípulos sobre conexão com o Pai? O fato de ele começar com a expressão "Pai nosso" é por si só significativo:

> Portanto, orem da seguinte forma:
>
> Pai nosso que estás no céu,
> santificado seja o teu nome.
> Venha o teu reino.
> Seja feita a tua vontade,
> assim na terra como no céu.
> Dá-nos hoje o pão para este dia,
> e perdoa nossas dívidas,

assim como perdoamos os nossos devedores.
E não nos deixes cair em tentação,
mas livra-nos do mal.
Pois teu é o reino, o poder e a glória para sempre. Amém.
Mateus 6.9-13

Essa expressão introdutória é um convite para experimentar um relacionamento com o Eterno. O Mestre dá ênfase ao Pai que está no céu para nos ensinar que nosso Pai não está limitado ao espaço, incapaz de conter seu poder, nem ao tempo, transcendido por sua presença. Não podemos esquecer que o importante é o valor que damos ao Pai, e não ao lugar. Em outras palavras, o que importa é nosso profundo amor pelo Pai, evidenciado no relacionamento paradoxalmente profundo e simples, livre de burocracias e trâmites indevidos.

Ainda no versículo 9, o Mestre nos traz outro ensinamento profundo: "santificado seja o teu nome". Santo é o nome do Eterno, não o local onde se presta o culto. Com isso, voltemos ao monte, onde o povo estava com Moisés à espera do recado de Deus. Eles não queriam sair dali, porque aquele lugar era santo, e não desejavam se aproximar do monte, porque ele era santo. Por que o povo reagia daquela forma? Porque haviam esquecido que o Eterno caminhava dia e noite com eles no deserto. Porque sua compreensão não era suficiente para perceber que o monte não era a habitação do Todo-poderoso. Ele não pode ser confinado a um espaço ou tempo, pois tudo está sob seu domínio e comando. Igualmente triste é ver que, como Israel, muitos hoje ainda não se dão conta dessa realidade poderosa.

A preocupação com o espaço de adoração e culto, em vez de com o Senhor do culto, é consequência da terceirização da fé e da responsabilidade da comunhão com Deus. Essa transferência de responsabilidade, portanto, não se circunscreve apenas a pessoas, como também também a coisas ou espaços.

Mas esse equívoco não é exclusividade dos nossos dias. Essa preocupação já estava presente no diálogo de Jesus com a mulher samaritana. Dúvidas sobre o local de adoração, se no monte ou no templo, revelam o vazio que também reside em nosso ser a respeito da pessoa de Deus. A mulher perguntou ao Mestre:

> Então diga-me: por que os judeus insistem que Jerusalém é o único lugar de adoração, enquanto nós, os samaritanos, afirmamos que é aqui, no monte Gerizim, onde nossos antepassados adoraram?
>
> João 4.20

Esse questionamento mostra que não só continuamos sem entender o significado de adorar em espírito e em verdade, como também o conceito de que o Eterno não habita em lugares feitos por mãos humanas. Ele é o Pai nosso que está no céu. Ele é o que dá vida e fôlego a tudo.

Os evangelhos relatam o encontro de Jesus com Elias e Moisés em um monte, o episódio conhecido como "transfiguração". Pedro, assombrado com a presença daquelas celebridades do céu, sugere a Jesus: "Senhor, é maravilhoso estarmos aqui! Se quiser, farei três tendas: uma será sua, uma de Moisés e outra de Elias" (Mt 17.4). Com isso, fica claro que ele estava mais preocupado com o local de culto que com a comunhão, pois na mente do pescador aquele monte era o local de conexão com o céu e, se eles permanecessem ali, teriam sempre contato com as figuras que residiam no céu. Pedro não entendia que o local não era determinante, mas sim Cristo. Pedro não se deu conta de que, estando ele com o Mestre, o lugar não teria importância, tampouco o dia e a hora, pois as portas do céu lhe estariam sempre abertas.

Lembre-se de que Jesus é o caminho que nos dá acesso ao reino eterno. Ele é a vida e a porta. Ele é o dono do reino, aquele que determina quem entra ou não. É ele quem detém as chaves para abrir e fechar as portas de seu reino. Portanto, não importa se é no monte ou no templo, mas quão perto estamos de Cristo, pois, com ele, as portas da eternidade estarão sempre abertas para nós.

Viva Cristo em todo tempo e lugar. Adore-o sempre. Saiba que ele vê você, a despeito do lugar da adoração e dos apetrechos que contenha. Seja contagiado com sua presença.

Simplesmente viva Jesus.

Conclusão

Meu desejo é que você tenha compreendido, ao longo destas páginas, que em Cristo tudo o que nos afasta de Deus foi completamente removido. O véu foi rasgado. Os intermediários foram descartados. O foco é Cristo. Ele é a porta. Ele é o acesso. Ele é o caminho. Ele é a voz que devemos ouvir. Em Cristo, somos convidados a viver nossa experiência com Deus em primeira mão, não uma experiência terceirizada.

Além disso, há uma beleza sem igual na Trindade que pode ser desfrutada quando entramos em sua presença por meio do sacrifício de Cristo. Devemos nos alegrar por saber que nada poderá nos afastar desse relacionamento íntimo e profundo.

Não precisamos ter medo, pois o verdadeiro amor lança fora todo medo. O brado de Cristo na cruz rasgou a cortina do templo, que simbolizava nossa separação de Deus. Agora, o caminho está livre. Como em *As Crônicas de Nárnia*, o guarda-roupas está aberto para que possamos entrar e nos fascinar com a presença do Eterno. Ele nos abriu os olhos a fim de que possamos contemplá-lo, não apenas no partir do pão, mas todos os dias, em todos os momentos, em qualquer lugar.

Viver além do véu é um convite para uma espiritualidade viva. Uma espiritualidade que transforma o mundo caótico e cinza em um lugar de harmonia e cores vivas, onde a esperança renasce e a vida ganha sentido. Portanto, viva um relacionamento de intimidade, dependência e unidade com Cristo.

É tempo de clamar ao Espírito Santo para que ele nos ajude a enxergar além do véu e, assim, percebamos que viver Cristo é desfrutar de uma vida fascinante.

É tempo de se desfazer de todo embaraço causado pela falta de entendimento das Escrituras ou pelo aprisionamento tramado por gurus da fé.

Marchemos como soldados triunfantes, com ousadia e alegria, pois Cristo vive!

Notas

Capítulo 3

[1] João Calvino, *Comentário das Epístolas Gerais* (São José dos Campos: Fiel, 2015), p. 513.

[2] John Piper, *Irmãos, nós não somos profissionais: Um apelo aos pastores para ter um ministério radical* (São Paulo: Shedd Publicações, 2009), p. 16.

[3] Eugene Peterson, *Um pastor segundo o coração de Deus* (Rio de Janeiro: Textus, 2000), p. 4.

[4] Piper, *Irmãos, nós não somos profissionais*, p. 16.

Capítulo 5

[1] Tomás de Kempis, *Imitação de Cristo* (São Paulo: Mundo Cristão, 2017), p. 82.

Capítulo 6

[1] James K. A. Smith, *Você é aquilo que ama* (São Paulo: Vida Nova, 2017), p. 32.

Capítulo 7

[1] James M. Houston, *O desejo: Satisfazendo a fome da alma* (Brasília: Palavra, 2009), p. 182.

[2] C. S. Lewis, *Oração: cartas a Malcom: Reflexões sobre o diálogo íntimo entre homem e Deus* (São Paulo: Vida, 2009), p. 97

[3] G. K. Chesterton, *Tremendas trivialidades* (Campinas: Ecclesiae, 2012), p. 13.

Capítulo 8

[1] James Houston, *Orar com Deus: Desenvolvendo uma poderosa e transformadora amizade com Deus* (São Paulo: Abba Press, 2003), p. 11.

Capítulo 9

[1] Blaise Pascal, *Pensamentos* (São Paulo: Cultrix, 1967), p. 36.

[2] Idem, p. 36.

[3] Idem, p. 39.

Capítulo 10

[1] C. S Lewis, *As Crônicas de Nárnia: O Leão, a Feiticeira e o Guarda--roupa* (São Paulo: Martins Fontes, 2002), p. 85.

Capítulo 11

[1] Dietrich Bonhoeffer, *Vida em comunhão* (São Leopoldo, RS: Sinodal, 1997), p. 10.

Sobre o autor

Tomás Camba é pastor de jovens na Igreja Batista do Morumbi, em São Paulo (SP), e professor de teologia e filosofia. Casado com Thayna Karen, é pai de Agatha.

Compartilhe suas impressões de leitura,
mencionando o título da obra, pelo e-mail
opiniao-do-leitor@mundocristao.com.br
ou por nossas redes sociais

Esta obra foi composta com tipografia Palatino
e impressa em papel Pólen Soft 70 g/m² na gráfica Assahi